CZASOWNIKI

HISZPAŃSKIE

z pełnymi odmianami

BUCHMANN

Opracowanie: **Kamila Zagórowska**
Tłumaczenie listy czasowników: Wojciech Kuźma
Konsultacja językowa: Jesús Pulido Ruiz
Redakcja techniczna: Jadwiga Szczęsnowicz
Korekta: Wojciech Kuźma, Jesús Pulido Ruiz, Jadwiga Kosmulska

Skład i łamanie: GABO s.c., Milanówek
Druk i oprawa: Drukarnia Naukowo-Techniczna. Oddział PAP SA

Wydawca:
BUCHMANN
ul. Wiktorska 65/14
02-587 Warszawa
www.buchmann.pl

ISBN: 978-83-7476-856-6

Spis treści

Objaśnienia pojęć gramatycznych

condicional	tryb warunkowy: **compraría** kupiłbym
cond. perf.	**condicional perfecto** tryb warunkowy dokonany: **habría comprado** kupiłbym (przeszłość)
formas compuestas	czasy złożone
formas simples	czasy proste
futuro	czas przyszły: **compraré** kupię/będę kupować
fut. perf.	**futuro perfecto** czas przyszły dokonany: **habré comprado** kupię (już)
gerundio	gerundium/imiesłów czynny: **comprando** kupując
gerundio perf.	**gerundio perfecto** gerundium czasu perfecto: **habiendo comprado** kupiwszy
imperativo	tryb rozkazujący: **compra** kupuję
imperfecto	czas przeszły niedokonany: **compraba** kupowałem
indicativo	tryb oznajmujący: **recibí** otrzymałem
infinitivo	bezokolicznik: **comprar** kupować
infinitivo perf.	**infinitivo perfecto** bezokolicznik czasu perfecto: **haber comprado** kupować (przeszłość)
participio	imiesłów: **comprado** kupiony
pluscuamp.	**pluscuamperfecto** czas zaprzeszły: **había comprado** kupiłem (już wcześniej)
presente	czas teraźniejszy: **compro** kupuję
pret. ant.	**pretérito anterior** czas zaprzeszły (historyczny): **hube comprado** kupiłem (tuż przed)
pret. indef.	**pretérito indefinido, préterito perfecto simple** czas zaprzeszły niedokonany: **compré** kupowałem
pret. perf.	**pretérito perfecto** czas przeszły dokonany: **he comprado** kupiłem
subjuntivo	tryb przypuszczający: **si recibiera** gdybym otrzymał

ser
estar
haber

Czasowniki posiłkowe

ser *być**

formas simples

Indicativo

presente	imperfecto	pret. indef.	futuro
soy	era	fui	seré
eres	eras	fuiste	serás
es	era	fue	será
somos	éramos	fuimos	seremos
sois	erais	fuisteis	seréis
son	eran	fueron	serán

Subjuntivo   Imperativo

presente	imperfecto		condicional
sea	fuera (fuese)	–	sería
seas	fueras (fueses)	sé (no seas)	serías
sea	fuera (fuese)	sea Vd.	sería
seamos	fuéramos (fuésemos)	seamos	seríamos
seáis	fuerais (fueseis)	sed (no seáis)	seríais
sean	fueran (fuesen)	sean Vds.	serían

infinitivo: ser   **gerundio:** siendo   **participio:** sido

formas compuestas

Indicativo

pret. perf.	pluscuamp.	pret. ant.	fut. perf.
he sido	había sido	hube sido	habré sido
has sido	habías sido	hubiste sido	habrás sido
ha sido	había sido	hubo sido	habrá sido
hemos sido	habíamos sido	hubimos sido	habremos sido
habéis sido	habíais sido	hubisteis sido	habréis sido
han sido	habían sido	hubieron sido	habrán sido

Subjuntivo

pret. perf.	pluscuamp.		cond. perf.
haya sido	hubiera (hubiese) sido		habría sido
hayas sido	hubieras (hubieses) sido		habrías sido
haya sido	hubiera (hubiese) sido		habría sido
hayamos sido	hubiéramos (hubiésemos) sido		habríamos sido
hayáis sido	hubierais (hubieseis) sido		habríais sido
hayan sido	hubieran (hubiesen) sido		habrían sido

infinitivo perf.: haber sido   **gerundio perf.:** habiendo sido

*„Ser" jako czasownik posiłkowy służy do tworzenia strony biernej (zob. str. 139, 140).

estar *być*

formas simples

Indicativo

presente	imperfecto	pret. indef.	futuro
estoy	estaba	estuve	estaré
estás	estabas	estuviste	estarás
está	estaba	estuvo	estará
estamos	estábamos	estuvimos	estaremos
estáis	estabais	estuvisteis	estaréis
están	estaban	estuvieron	estarán

Subjuntivo

Imperativo

presente	imperfecto		condicional
esté	estuviera (estuviese)	–	estaria
estés	estuvieras (-ses)	está (no estés)	estarías
esté	estuviera (-se)	esté Vd.	estaría
estemos	estuviéramos (-semos)	estemos	estaríamos
estéis	estuvierais (-seis)	estad (no estéis)	estaríais
estén	estuvieran (-sen)	estén Vds.	estarían

infinitivo: estar **gerundio:** estando **participio:** estado

formas compuestas

Indicativo

pret. perf.	pluscuamp.	pret. ant.	fut. perf.
he estado	había estado	hube estado	habré estado
has estado	habías estado	hubiste estado	habrás estado
ha estado	había estado	hubo estado	habrá estado
hemos estado	habíamos estado	hubimos estado	habremos estado
habéis estado	habíais estado	hubisteis estado	habréis estado
han estado	habían estado	hubieron estado	habrán estado

Subjuntivo

pret. perf.	pluscuamp.	cond. perf.
haya estado	hubiera (hubiese) estado	habría estado
hayas estado	hubieras (-ses) estado	habrías estado
haya estado	hubiera (-se) estado	habría estado
hayamos estado	hubiéramos (-semos) estado	habríamos estado
hayáis estado	hubierais (-seis) estado	habríais estado
hayan estado	hubieran (-sen) estado	habrían estado

infinitivo perf.: haber estado **gerundio perf.:** habiendo estado

Czasowniki posiłkowe

haber* *mieć, być, znajdować się*

formas simples

Indicativo

presente	imperfecto	pret. indef.	futuro
he	había	hube	habré
has	habías	hubiste	habrás
ha (hay)**	había	hubo	habrá
hemos	habíamos	hubimos	habremos
habéis	habíais	hubisteis	habréis
han	habían	hubieron	habrán

Subjuntivo   **Imperativo**

presente	imperfecto		condicional
haya	hubiera (hubiese)	–	habría
hayas	hubieras (-ses)	habe	habrías
haya	hubiera (-se)	haya Vd.	habría
hayamos	hubiéramos (-semos)	hayamos	habríamos
hayáis	hubierais (-seis)	habed	habríais
hayan	hubieran (-sen)	hayan Vds.	habrían

infinitivo: haber   **gerundio:** habiendo   **participio:** habido

formas compuestas

Indicativo

pret. perf.	pluscuamp.	pret. ant.	fut. perf.
he habido	había habido	hube habido	habré habido
has habido	habías habido	hubiste habido	habrás habido
ha habido	había habido	hubo habido	habrá habido
hemos habido	habíamos habido	hubimos habido	habremos habido
habéis habido	habíais habido	hubisteis habido	habréis habido
han habido	habían habido	hubieron habido	habrán habido

Subjuntivo

pret. perf.	pluscuamp.		cond. perf.
haya habido	hubiera (hubiese) habido		habría habido
hayas habido	hubieras (-ses) habido		habrías habido
haya habido	hubiera (-se) habido		habría habido
hayamos habido	hubiéramos (-semos) habido		habríamos habido
hayáis habido	hubierais (-seis) habido		habríais habido
hayan habido	hubieran (-sen) habido		habrían habido

infinitivo perf.: haber habido   **gerundio perf.:** habiendo habido

* Jest używany tylko jako czasownik posiłkowy i służy do tworzenia czasów złożonych.
** Forma bezosobowa w znaczeniu: „jest/są".

Czasowniki odmienione w tym rozdziale:

comprar	comenzar	pensar
abanicar	comprobar	plegar
abdicar	confiar	poblar
abrazar	contar	quebrar
acentuar	costar	regar
aconsejar	cruzar	resfriar
acordar	dar	rogar
acostar	degollar	sacar
actuar	derrocar	secar
agorar	despertar	segar
ahogar	destrozar	segregar
alcanzar	empezar	sentar
alejar	encontrar	serrar
almorzar	engrosar	situar
analizar	enraizar	soltar
andar	enterar	sonar
apacentar	enterrar	soñar
apaciguar	errar	temblar
aplazar	evaluar	tocar
asestar	expiar	tostar
asolar	forzar	tranquilizar
auxiliar	fraguar	trocar
avergonzar	fregar	tropezar
bautizar	guiar	ubicar
cazar	holgar	unificar
cerrar	jugar	utilizar
cimentar	liar	vagar
circuncidar	menguar	variar
colar	mostrar	
colgar	pagar	

comprar *kupować*

formas simples

Indicativo

presente	imperfecto	pret. indef.	futuro
compro	compraba	compré	compraré
compras	comprabas	compraste	comprarás
compra	compraba	compró	comprará
compramos	comprábamos	compramos	compraremos
compráis	comprabais	comprasteis	compraréis
compran	compraban	compraron	comprarán

Subjuntivo

Imperativo

presente	imperfecto		condicional
compre	comprara (comprase)	–	compraría
compres	compraras (-ses)	compra (no compres)	comprarías
compre	comprara (-se)	compre Vd.	compraría
compremos	compráramos (-semos)	compremos	compraríamos
compréis	comprarais (-seis)	comprad (no compréis)	compraríais
compren	compraran (-sen)	compren Vds.	comprarían

infinitivo: comprar   **gerundio:** comprando   **participio:** comprado

formas compuestas

Indicativo

pret. perf.	pluscuamp.	pret. ant.	fut. perf.
he comprado	había comprado	hube comprado	habré comprado
has comprado	habías comprado	hubiste comprado	habrás comprado
ha comprado	había comprado	hubo comprado	habrá comprado
hemos comprado	habíamos comprado	hubimos comprado	habremos comprado
habéis comprado	habíais comprado	hubisteis comprado	habréis comprado
han comprado	habían comprado	hubieron comprado	habrán comprado

Subjuntivo

pret. perf.	pluscuamp.	cond. perf.
haya comprado	hubiera (hubiese) comprado	habría comprado
hayas comprado	hubieras (-ses) comprado	habrías comprado
haya comprado	hubiera (-se) comprado	habría comprado
hayamos comprado	hubiéramos (-semos) comprado	habríamos comprado
hayáis comprado	hubierais (-seis) comprado	habrías comprado
hayan comprado	hubieran (-sen) comprado	habrían comprado

infinitivo perf.: haber comprado   **gerundio perf.:** habiendo comprado

Pierwsza koniugacja

abanicar *wachlować*

Tematyczna głoska **c** przed **e** przechodzi w **qu**.

Indicativo

presente	imperfecto	pret. indef.	futuro
abanico	abanicaba	abaniqué	abanicaré
abanicas	abanicabas	abanicaste	abanicaras
abanica	abanicaba	abanicó	abanicará
abanicamos	abanicábamos	abanicamos	abanicaremos
abanicáis	abanicabais	abanicasteis	abanicaréis
abanican	abanicaban	abanicaron	abanicarán

Subjuntivo

Imperativo

presente	imperfecto		condicional
abanique	abanicara (-se)	–	abanicaría
abaniques	abanicaras (-ses)	abanica (no abaniques)	abanicarías
abanique	abanicara (-se)	abanique Vd.	abanicaría
abaniquemos	abanicáramos (-semos)	abaniquemos	abanicaríamos
abaniquéis	abanicarais (-seis)	abanicad (no abaniquéis)	abanicaríais
abaniquen	abanicaran (-sen)	abaniquen Vds.	abanicarían

infinitivo: abanicar   **gerundio:** abanicando   **participio:** abanicado

abdicar *abdykować*

Tematyczna głoska **c** przed **e** przechodzi w **qu**.

Indicativo

presente	imperfecto	pret. indef.	futuro
abdico	abdicaba	abdiqué	abdicaré
abdicas	abdicabas	abdicaste	abdicarás
abdica	abdicaba	abdicó	abdicará
abdicamos	abdicábamos	abdicamos	abdicaremos
abdicáis	abdicabais	abdicasteis	abdicaréis
abdican	abdicaban	abdicaron	abdicarán

Subjuntivo

Imperativo

presente	imperfecto		condicional
abdique	abdicara (-se)	–	abdicaría
abdiques	abdicaras (-ses)	abdica (no abdiques)	abdicarías
abdique	abdicara (-se)	abdique Vd.	abdicaría
abdiquemos	abdicáramos (-semos)	abdiquemos	abdicaríamos
abdiquéis	abdicarais (-seis)	abdicad (no abdiquéis)	abdicaríais
abdiquen	abdicaran (-sen)	abdiquen Vds.	abdicarían

infinitivo: abdicar   **gerundio:** abdicando   **participio:** abdicado

Pierwsza koniugacja

abrazar *obejmować*

z w temacie przechodzi w c przed e.

Indicativo

presente	imperfecto	pret. indef.	futuro
abrazo	abrazaba	abracé	abrazaré
abrazas	abrazabas	abrazaste	abrazarás
abraza	abrazaba	abrazó	abrazará
abrazamos	abrazábamos	abrazamos	abrazaremos
abrazáis	abrazabais	abrazasteis	abrazaréis
abrazan	abrazaban	abrazaron	abrazarán

Subjuntivo

Imperativo

presente	imperfecto		condicional
abrace	abrazara (-se)	–	abrazaría
abraces	abrazaras (-ses)	abraza (no abraces)	abrazarías
abrace	abrazara (-se)	abrace Vd.	abrazaría
abracemos	abrazáramos (-semos)	abracemos	abrazaríamos
abracéis	abrazarais (-seis)	abrazad (no abracéis)	abrazaríais
abracen	abrazaran (-sen)	abracen Vds.	abrazarían

infinitivo: abrazar　**gerundio:** abrazando　**participio:** abrazado

acentuar *akcentować*

W akcentowanym temacie akcent pada na u.

Indicativo

presente	imperfecto	pret. indef.	futuro
acentúo	acentuaba	acentué	acentuaré
acentúas	acentuabas	acentuaste	acentuarás
acentúa	acentuaba	acentuó	acentuará
acentuamos	acentuábamos	acentuamos	acentuaremos
acentuáis	acentuabais	acentuasteis	acentuaréis
acentúan	acentuaban	acentuaron	acentuarán

Subjuntivo

Imperativo

presente	imperfecto		condicional
acentúe	acentuara (-se)	–	acentuaría
acentúes	acentuaras (-ses)	acentúa (no acentúes)	acentuarías
acentúe	acentuara (-se)	acentúe Vd.	acentuaría
acentuemos	acentuáramos (-semos)	acentuemos	acentuaríamos
acentuéis	acentuarais (-seis)	acentuad (no acentuéis)	acentuaríais
acentúen	acentuaran (-sen)	acentúen Vds.	acentuarían

infinitivo: acentuar　**gerundio:** acentuando　**participio:** acentuado

aconsejar *radzić, doradzać*

Zachowuje **j** w całym paradygmacie odmiany.

Indicativo

presente	imperfecto	pret. indef.	futuro
aconsejo	aconsejaba	aconsejé	aconsejaré
aconsejas	aconsejabas	aconsejaste	aconsejarás
aconseja	aconsejaba	aconsejó	aconsejará
aconsejamos	aconsejábamos	aconsejamos	aconsejaremos
aconsejáis	aconsejabais	aconsejásteis	aconsejaréis
aconsejan	aconsejaban	aconsejaron	aconsejarán

Subjuntivo

Imperativo

presente	imperfecto		condicional
aconseje	aconsejara (-se)	–	aconsejaría
aconsejes	aconsejaras (-ses)	aconseja (no aconsejes)	aconsejarías
aconseje	aconsejara (-ses)	aconseje Vd.	aconsejaría
aconsejemos	aconsejáramos (-semos)	aconsejemos	aconsejaríamos
aconsejéis	aconsejarais (-seis)	aconsejad (no aconsejéis)	aconsejaríais
aconseje	aconsejaran (-sen)	aconsejen Vds.	aconsejarían

infinitivo: aconsejar   **gerundio:** aconsejando   **participio:** aconsejado

acordar *uzgadniać, postanawiać*

ale również: przypominać
Akcentowane **o** w temacie przechodzi w **ue**.

Indicativo

presente	imperfecto	pret. indef.	futuro
acuerdo	acordaba	acordé	acordaré
acuerdas	acordabas	acordaste	acordarás
acuerda	acordaba	acordó	acordará
acordamos	acordábamos	acordamos	acordaremos
acordáis	acordabais	acordasteis	acordaréis
acuerdan	acordaban	acordaron	acordarán

Subjuntivo

Imperativo

presente	imperfecto		condicional
acuerde	acordara (-se)	–	acordaría
acuerdes	acordaras (-ses)	acuerda (no acuerdes)	acordarías
acuerde	acordara (-se)	acuerde Vd.	acordaría
acordemos	acordáramos (-semos)	acordemos	acordaríamos
acordéis	acordarais (-seis)	acordad (no acordéis)	acordaría
acuerden	acordaran (-sen)	acuerden Vds.	acordaría

infinitivo: acordar   **gerundio:** acordando   **participio:** acordado

13

Pierwsza koniugacja

acostar kłaść (do łóżka)

Akcentowane **o** w temacie przechodzi w **ue**.

Indicativo

presente	imperfecto	pret. indef.	futuro
acuesto	acostaba	acosté	acostaré
acuestas	acostabas	acostaste	acostarás
acuesta	acostaba	acostó	acostará
acostamos	acostábamos	acostamos	acostaremos
acostáis	acostabais	acostasteis	acostaréis
acuestan	acostaban	acostaron	acostarán

Subjuntivo   Imperativo

presente	imperfecto		condicional
acueste	acostara (-se)	–	acostaría
acuestes	acostaras (-ses)	acuesta (no acuestes)	acostarías
acueste	acostara (-se)	acueste Vd.	acostaría
acostemos	acostáramos (-semos)	acostemos	acostaríamos
acostéis	acostarais (-seis)	acostad (no acostéis)	acostaríais
acuesten	acostaran (-sen)	acuesten Vds.	acostarían

infinitivo: acostar   **gerundio:** acostando   **participio:** acostado

actuar działać, pełnić funkcję

Akcentowane **u** w temacie nosi akcent graficzny.

Indicativo

presente	imperfecto	pret. indef.	futuro
actúa	actuaba	actué	actuaré
actúas	actuabas	actuaste	actuarás
actúa	actuaba	actuó	actuará
actuamos	actuábamos	actuamos	actuaremos
actuáis	actuabais	actuasteis	actuaréis
actúan	actuaban	actuaron	actuarán

Subjuntivo   Imperativo

presente	imperfecto		condicional
actúe	actuara (-se)	–	actuaría
actúes	actuaras (-ses)	actúa (no actúes)	actuarías
actúe	actuara (-se)	actúe Vd.	actuaría
actuemos	actuáramos (-semos)	actuemos	actuaríamos
actuéis	actuarais (-seis)	actuad (no actuéis)	actuaríais
actúen	actuaran (-sen)	actúen Vds.	actuarían

infinitivo: actuar   **gerundio:** actuando   **participio:** actuado

agorar *przepowiadać*

Akcentowane **o** w temacie przechodzi w **üe**.

Indicativo

presente	imperfecto	pret. indef.	futuro
agüero	agoraba	agoré	agoraré
agüeras	agorabas	agoraste	agorarás
agüera	agoraba	agoró	agorará
agoramos	agorábamos	agoramos	agoraremos
agoráis	agorabais	agorasteis	agoraréis
agüeran	agoraban	agoraron	agorarán

Subjuntivo

presente	imperfecto	Imperativo	condicional
agüere	agorara (-se)	–	agoraría
agüeres	agoraras (-ses)	agüera (no agüeres)	agorarías
agüere	agorara (-se)	agüere Vd.	agoraría
agoremos	agoráramos (-semos)	agoremos	agoraríamos
agoréis	agorarais (-seis)	agorad (no agoréis)	agoraríais
agüeren	agoraran (-sen)	agüeren Vds.	agorarían

infinitivo: agorar **gerundio:** agorando **participio:** agorado

ahogar *dusić, topić*

g zmienia się w **gu** przed **e**.

Indicativo

presente	imperfecto	pret. indef.	futuro
ahogo	ahogaba	ahogué	ahogaré
ahogas	ahogabas	ahogaste	ahogarás
ahoga	ahogaba	ahogó	ahogará
ahogamos	ahogábamos	ahogamos	ahogaremos
ahogáis	ahogabais	ahogasteis	ahogaréis
ahogan	ahogaban	ahogaron	ahogarán

Subjuntivo

presente	imperfecto	Imperativo	condicional
ahogue	ahogara (-se)	–	ahogaría
ahogues	ahogaras (-ses)	ahoga (no ahogues)	ahogarías
ahogue	ahogara (-se)	ahogue Vd.	ahogaría
ahoguemos	ahogáramos (-semos)	ahoguemos	ahogaríamos
ahoguéis	ahogarais (-seis)	ahogad (no ahoguéis)	ahogaríais
ahoguen	ahogaran (-sen)	ahoguen Vds.	ahogarían

infinitivo: ahogar **gerundio:** ahogando **participio:** ahogado

Pierwsza koniugacja

alcanzar *dogonić, dosięgnąć*

z zmienia się w **c** przed **e**.

Indicativo

presente	imperfecto	pret. indef.	futuro
alcanzo	alcanzaba	alcancé	alcanzaré
alcanzas	alcanzabas	alcanzaste	alcanzarás
alcanza	alcanzaba	alcanzó	alcanzará
alcanzamos	alcanzábamos	alcanzamos	alcanzaremos
alcanzáis	alcanzabais	alcanzasteis	alcanzaréis
alcanzan	alcanzaban	alcanzaron	alcanzarán

Subjuntivo   Imperativo

presente	imperfecto		condicional
alcance	alcanzara (-se)	-	alcanzaría
alcances	alcanzaras (-ses)	alcanza (no alcances)	alcanzarías
alcance	alcanzara (-se)	alcance Vd.	alcanzaría
alcancemos	alcanzáramos (-semos)	alcancemos	alcanzaríamos
alcancéis	alcanzarais (-seis)	alcanzad (no alcancéis)	alcanzaríais
alcancen	alcanzaran (-sen)	alcancen Vds.	alcanzarían

infinitivo: alcanzar   **gerundio:** alcanzando   **participio:** alcanzado

alejar *oddalać, usuwać*

Zachowuje **j** w całym paradygmacie odmiany.

Indicativo

presente	imperfecto	pret. indef.	futuro
alejo	alejaba	alejé	alejaré
alejas	alejaba	alejaste	alejarás
aleja	alejabas	alejó	alejarás
alejamos	alejábamos	alejamos	alejaremos
alejáis	alejabais	alejasteis	alejaréis
alejan	alejaban	alejaron	alejarán

Subjuntivo   Imperativo

presente	imperfecto		condicional
aleje	alejara (-se)	–	alejaría
alejes	alejaras(-ses)	aleja (no alejes)	alejarías
aleje	alejara (-se)	aleje Vd.	alejaría
alejemos	alejáramos (-semos)	alejemos	alejaríamos
alejéis	alejarais (-seis)	alejad (no alejéis)	alejaríais
alejen	alejaran (-sen)	alejen Vds.	alejarían

infinitivo: alejar   **gerundio:** alejando   **participio:** alejado

almorzar *jeść obiad*

Akcentowane **o** w temacie zmienia się w **ue**, **z** zmienia się w **c** przed **e**.

Indicativo

presente	imperfecto	pret. indef.	futuro
almuerzo	almorzaba	almorcé	almorzaré
almuerzas	almorzabas	almorzaste	almorzarás
almuerza	almorzaba	almorzó	almorzará
almorzamos	almorzábamos	almorzamos	almorzaremos
almorzáis	almorzabais	almorsasteis	almorzaréis
almuerzan	almorzaban	almorzaron	almorzarán

Subjuntivo

Imperativo

presente	imperfecto		condicional
almuerce	almorzara (-se)	–	almorzaría
almuerces	almorzaras (-ses)	almuerza (no almuerces)	almorzarías
almuerce	almorzara (-se)	almuerce Vd.	almorzaría
almorcemos	almorzáramos (-semos)	almorcemos	almorzaríaamos
almorcéis	almorzarais (-seis)	almorzad (no almorcéis)	almorzaríais
almuercen	almorzaran (-sen)	almuercen Vds.	almorzarían

infinitivo: almorzar **gerundio:** almorzando **participio:** almorzado

analizar *analizować*

z zmienia się w **c** przed **e**.

Indicativo

presente	imperfecto	pret. indef.	futuro
analizo	analizaba	analicé	analizaré
analizas	analizabas	analizaste	analizarás
analiza	analizaba	analizó	analizará
analizamos	analizábamos	analizamos	analizaremos
analizáis	analizabais	analizasteis	analizaréis
analizan	analizaban	analizaron	analizarán

Subjuntivo

Imperativo

presente	imperfecto		condicional
analice	analizara (-se)	–	analizaría
analices	analizaras (-ses)	analiza (no analices)	analizarías
analice	analizara (-se)	analice Vd.	analizaría
analicemos	analizáramos (-semos)	analicemos	analizaríamos
analicéis	analizarais (-seis)	analizad (no analicéis)	analizaríais
analicen	analizaran (-sen)	analicen Vds.	analizarían

infinitivo: analizar **gerundio:** analizando **participio:** analizado

andar *iść*

Indicativo

presente	imperfecto	pret. indef.	futuro
ando	andaba	anduve	andaré
andas	andabas	anduviste	andarás
anda	andaba	anduvo	andará
andamos	andábamos	anduvimos	andaremos
andáis	andabais	anduvisteis	andaréis
andan	andaban	anduvieron	andarán

Subjuntivo

Imperativo

presente	imperfecto		condicional
ande	anduviera (-se)	–	andaría
andes	anduvieras (-ses)	anda (no andes)	andarías
ande	anduviera (-se)	ande Vd.	andaría
andemos	anduviéramos (-semos)	andemos	andaríamos
andéis	anduvierais (-seis)	andad (no andéis)	andaríais
anden	anduvieran (-sen)	anden Vds.	andarían

infinitivo: andar **gerundio:** andando **participio:** andado

apacentar *paść (bydło)*

Akcentowane **e** w temacie przechodzi w **ie**.

Indicativo

presente	imperfecto	pret. indef.	futuro
apaciento	apacentaba	apacenté	apacentaré
apacientas	apacentabas	apacentaste	apacentarás
apacienta	apacentaba	apacentó	apacentará
apacentamos	apacentábamos	apacentamos	apacentaremos
apacentáis	apacentabais	apacentasteis	apacentaréis
apacientan	apacentaban	apacentaron	apacentarán

Subjuntivo

Imperativo

presente	imperfecto		condicional
apaciente	apacentara (-se)	–	apacentaría
apacientes	apacentaras (-ses)	apacienta (no apacientes)	apacentarías
apaciente	apacentara (-se)	apaciente Vd.	apacentaría
apacentemos	apacentáramos (-semos)	apacentemos	apacentaríamos
apacentéis	apacentarais (-seis)	apacentad (no apacentéis)	apacentaríais
apacienten	apacentaran (-sen)	apacienten Vds.	apacentarían

infinitivo: apacentar **gerundio:** apacentando **participio:** apacentado

apaciguar *koić, uspokajać*

g zmienia się w **gü** przed **e**.

Indicativo

presente	imperfecto	pret. indef.	futuro
apaciguo	apaciguaba	apacigüé	apaciguaré
apaciguas	apaciguabas	apaciguaste	apaciguarás
apacigua	apaciguaba	apaciguó	apaciguará
apaciguamos	apaciguábamos	apaciguamos	apaciguaremos
apaciguáis	apaciguabais	apaciguasteis	apaciguaréis
apaciguan	apaciguaban	apaciguaron	apaciguarán

Subjuntivo

Imperativo

presente	imperfecto		condicional
apacigüe	apaciguara (-se)	–	apaciguaría
apacigües	apaciguaras (-ses)	apacigua (no apacigües)	apaciguarías
apacigüe	apaciguara (-se)	apacigüe Vd.	apaciguaría
apacigüemos	apaciguáramos (-semos)	apacigüemos	apaciguaríamos
apacigüéis	apaciguarais (-seis)	apaciguad (no apacigüéis)	apaciguaríais
apacigüen	apaciguaran (-sen)	apacigüen Vds.	apaciguarían

infinitivo: apaciguar **gerundio:** apaciguando **participio:** apaciguado

aplazar *odkładać (w czasie), odroczyć*

z zmienia się w **c** przed **e**.

Indicativo

presente	imperfecto	pret. indef.	futuro
aplazo	aplazaba	aplacé	aplazaré
aplazas	aplazabas	aplazaste	aplazarás
aplaza	aplazaba	aplazó	aplazará
aplazamos	aplazábamos	aplazamos	aplazaremos
aplazáis	aplazabais	aplazasteis	aplazaréis
aplazan	aplazaban	aplazaron	aplazarán

Subjuntivo

Imperativo

presente	imperfecto		condicional
aplace	aplazara (-se)	–	aplazaría
aplaces	aplazaras (-ses)	aplaza (no aplaces)	aplazarías
aplace	aplazara (-se)	aplace Vd.	aplazaría
aplacemos	aplazáramos (-semos)	aplacemos	aplazaríamos
aplacéis	aplazarais (-seis)	aplazad (no aplacéis)	aplazaríais
aplacen	aplazaran (-sen)	aplacen Vds.	aplazarían

infinitivo: aplazar **gerundio:** aplazando **participio:** aplazado

Pierwsza koniugacja

asestar *celować, zadać cios*

Akcentowane **e** w temacie przechodzi w **ie**.

Indicativo

presente	imperfecto	pret. indef.	futuro
asiesto	asestaba	asesté	asestaré
asiestas	asestabas	asestaste	asestarás
asiesta	asestaba	asestó	asestarás
asestamos	asestábamos	asestamos	asestaremos
asestáis	asestabais	asestasteis	asestaréis
asiestan	asestaban	asestaron	asestarán

Subjuntivo   Imperativo

presente	imperfecto		condicional
asieste	asestara (-se)	–	asestaría
asiestes	asestaras (-ses)	asiesta (no asiestes)	asestarías
asieste	asestara (-se)	asieste Vd.	asestaría
asestemos	asestáramos (-semos)	asestemos	asestaríamos
asestéis	asestarais (-seis)	asestad (no asestéis)	asestaríais
asiesten	asestaran (-sen)	asiesten Vds.	asestarían

infinitivo: asestar   **gerundio**: asestando   **participio**: asestado

asolar *rujnować, niszczyć*

Dopuszcza się dwa paradygmaty odmiany: regularny i nieregularny,
w którym akcentowane **o** w temacie przechodzi w **ue**.

Indicativo

presente	imperfecto	pret. indef.	futuro
asolo asuelo	asolaba	asolé	asolaré
asolas asuelas	asolabas	asolaste	asolarás
asola asuela	asolaba	asoló	asolará
asolamos asolamos	asolábamos	asolamos	asolaremos
asoláis asoláis	asolabais	asolasteis	asolaréis
asolan asuelan	asolaban	asolaron	asolarán

Subjuntivo   Imperativo

presente	imperfecto		condicional
asole asuele	asolara (-se)	–	asolaría
asoles asueles	asolaras (-ses)	asola asuela (no asoles, no asueles)	asolarías
asole asuele	asolara (-se)	asole asuele Vd.	asolaría
asolemos	asoláramos (-semos)	asolemos	asolaríamos
asoléis	asolarais (-seis)	asolad (no asoléis)	asolaríais
asolen asuelen	asolaran (-sen)	asolen asuelen Vds.	asolarían

infinitivo: asolar   **gerundio**: asolando   **participio**: asolado

auxiliar *pomagać, wspierać*

W czasie teraźniejszym uznawane są dwie formy odmiany (oprócz 1. i 2. os. lm), w drugiej z nich **i** jest akcentowane oraz zgłoskotwórcze – forma ta jest jednak niezwykle rzadko używana.

Indicativo

presente	imperfecto	pret. indef.	futuro
auxilio auxilío	auxiliaba	auxilié	auxiliaré
auxilias auxilías	auxiliabas	auxiliaste	auxiliarás
auxilia auxilía	auxiliaba	auxilió	auxiliará
auxiliamos	auxiliábamos	auxiliamos	auxiliaremos
auxiliáis	auxiliabais	auxiliasteis	auxiliaréis
auxilian auxilían	auxiliaban	auziliaron	auxiliarán

Subjuntivo

Imperativo

presente	imperfecto		condicional
auxilie auxilíe	auxiliara (-se)	–	auxiliaría
auxilies auxilíes	auxiliaras (-ses)	auxilia auxilía (no auxilíes no auxilíes)	auxiliaries
auxilie auxilíe	auxiliara (-se)	auxilieVd. auxilíe Vd.	auxiliaría
auxiliemos	auxiliáramos (-semos)	auxiliemos	auxiliaríamos
auxiliéis	auxiliarais (-seis)	auxiliad (no auxiliéis)	auxiliaríais
auxilien auxilíen	auxiliaran (-sen)	auxilien Vds. auxilíen Vds.	auxiliarían

infinitivo: auxiliar   **gerundio:** auxiliando   **participio:** auxiliado

avergonzar *zawstydzać*

Akcentowane **o** w temacie przechodzi w **ue**;
g zmienia się w **gü** przed **e**; **z** zmienia się w **c** przed **e**.

Indicativo

presente	imperfecto	pret. indef.	futuro
avergüenzo	avergonzaba	avergoncé	avergonzaré
avergüenzas	avergonzabas	avergonzaste	avergonzarás
avergüenza	avergonzaba	avergonzó	avergonzará
avergonzamos	avergonzábamos	avergonzamos	avergonzaremos
avergonzáis	avergonzabais	avergonzasteis	avergonzaréis
avergüenzan	avergonzaban	avergonzaron	avergonzarán

Subjuntivo

Imperativo

presente	imperfecto		condicional
avergüence	avergonzara (-se)	–	avergonzaría
avergüences	avergonzaras (-ses)	avergüenza (no avergüences)	avergonzarías
avergüence	avergonzara (-se)	avergüence Vd.	avergonzaría
avergoncemos	avergonzáramos (-semos)	avergoncemos	avergonzaríamos
avergoncéis	avergonzarais (-seis)	avergonzad (no avergoncéis)	avergonzaríais
avergüencen	avergonzaran (-sen)	avergüencen Vds.	avergonzarían

infinitivo: avergonzar   **gerundio:** avergonzando   **participio:** avergonzado

bautizar *chrzcić*

z przechodzi w **c** przed **e**.

Indicativo

presente	imperfecto	pret. indef.	futuro
bautizo	bautizaba	bauticé	bautizaré
bautizas	bautizabas	bautizaste	bautizarás
bautiza	bautizaba	bautizó	bautizará
bautizamos	bautizábamos	bautizamos	bautizaremos
bautizáis	bautizabais	bautizasteis	bautizaréis
bautizan	bautizaban	bautizaron	bautizarán

Subjuntivo

Imperativo

presente	imperfecto		condicional
bautice	bautizara (-se)	–	bautizaría
bautices	bautizaras (-ses)	bautiza (no bautices)	bautizarías
bautice	bautizara (-se)	bautice Vd.	bautizaría
bauticemos	bautizáramos (-semos)	bauticemos	bautizaríamos
bauticéis	bautizarais (-seis)	bautizad (no bauticéis)	bautizaríais
bauticen	bautizaran (-sen)	bauticen Vds.	bautizarían

infinitivo: bautizar   **gerundio:** bautizando   **participio:** bautizado

cazar *polować*

z zmienia się w **c** przed **e**.

Indicativo

presente	imperfecto	pret. indef.	futuro
cazo	cazaba	cacé	cazaré
cazas	cazabas	cazaste	cazarás
caza	cazaba	cazó	cazará
cazamos	cazábamos	cazamos	cazaremos
cazáis	cazabais	cazasteis	cazaréis
cazan	cazaban	cazaron	cazaran

Subjuntivo

Imperativo

presente	imperfecto		condicional
cace	cazara (-se)	–	cazaría
caces	cazaras (-ses)	caza (no caces)	cazarías
cace	cazara (-se)	cace Vd.	cazaría
cacemos	cazáramos (-semos)	cacemos	cazaríamos
cacéis	cazarais (-seis)	cazad (no cacéis)	cazaríais
cacen	cazaran (-sen)	cacen Vds.	cazarían

infinitivo: cazar   **gerundio:** cazando   **participio:** cazado

cerrar *zamykać*

Akcentowane **e** w temacie przechodzi w **ie**.

Indicativo

presente	imperfecto	pret. indef.	futuro
cierro	cerraba	cerré	cerraré
cierras	cerrabas	cerraste	cerrarás
cierra	cerraba	cerró	cerrará
cerramos	cerrábamos	cerramos	cerraremos
cerráis	cerrabais	cerrasteis	cerraréis
cierran	cerraban	cerraron	cerrarán

Subjuntivo

Imperativo

presente	imperfecto		condicional
cierre	cerrara (-se)	–	cerraría
cierres	cerraras (-ses)	cierra (no cierres)	cerrarías
cierre	cerrara (-se)	cierre Vd.	cerraría
cerremos	cerráramos (-semos)	cerremos	cerraríamos
cerréis	cerrarais (-seis)	cerrad (no cerréis)	cerraríais
cierren	cerraran (-sen)	cierren Vds.	cerrarían

infinitivo: cerrar **gerundio:** cerrando **participio:** cerrado

cimentar *cementować*

Dopuszcza się dwa paradygmaty odmiany: regularny i nieregularny, w którym akcentowane **e** w temacie przechodzi w **ie**.

Indicativo

presente	imperfecto	pret. indef.	futuro
cimiento cimento	cimentaba	cimenté	cimentaré
cimientas cimentas	cimentabas	cimentaste	cimentarás
cimienta cimenta	cimentaba	cimentó	cimentará
cimentamos	cimentábamos	cimentamos	cimentaremos
cimentáis	cimentabais	cimentasteis	cimentaréis
cimientan cimentan	cimentaban	cimentaron	cimentarán

Subjuntivo

Imperativo

presente	imperfecto		condicional
cimiente cimente	cimentara (-se)	–	cimentaría
cimientes cimentes	cimentaras (-ses)	cimienta cimenta (no cimientes no cimentes)	cimentarías
cimiente cimente	cimentara (-se)	cimiente cimente Vd.	cimentaría
cimentemos	cimentáramos (-semos)	cimentemos	cimentaríamos
cimentéis	cimentarais (-seis)	cimentad (no cimentéis)	cimentaríais
cimienten cimenten	cimentaran (-sen)	cimienten cimenten Vds.	cimentarían

infinitivo: cimentar **gerundio:** cimentando **participio:** cimentado

23

Pierwsza koniugacja

circuncidar *obrzezać*

Drugi, nieregularny imiesłów używany jest w znaczeniu
przymiotnikowym i rzeczownikowym.

Indicativo

presente	imperfecto	pret. indef.	futuro
circuncido	circuncidaba	circuncidé	circuncidaré
circuncidas	circuncidabas	circuncidaste	circuncidarás
circuncida	circuncidaba	circuncidó	circuncidará
circuncidamos	circuncidábamos	circuncidamos	circuncidaremos
circuncidáis	circuncidabais	circuncidasteis	circuncidaréis
circuncidan	circuncidaban	circuncidaron	circuncidarán

Subjuntivo

Imperativo

presente	imperfecto		condicional
circuncide	circuncidara (-se)	–	circuncidaría
circuncides	circuncidaras (-ses)	circuncida (no circuncides)	circuncidarías
circuncide	circuncidara (-se)	circuncide Vd.	circuncidaría
circuncidemos	circuncidáramos (-semos)	circuncidemos	circuncidaríamos
circuncidéis	circuncidarais (-seis)	circuncidad (no circuncidéis)	circuncidaríais
circunciden	circuncidaran (-sen)	circunciden Vds.	circuncidarían

infinitivo: circuncidar **gerundio:** circuncidando **participio:** circuncidado, circunciso

colar *cedzić*

Akcentowane **o** w temacie przechodzi w **ue**.

Indicativo

presente	imperfecto	pret. indef.	futuro
cuelo	colaba	colé	colaré
cuelas	colabas	colaste	colarás
cuela	colaba	coló	colará
colamos	colábamos	colamos	colaremos
coláis	colabais	colasteis	colaréis
cuelan	colaban	colaron	colarán

Subjuntivo

Imperativo

presente	imperfecto		condicional
cuele	colara (-se)	–	colaría
cueles	colaras (-ses)	cuela (no cueles)	colarías
cuele	colara (-se)	cuele Vd.	colaría
colemos	coláramos (-semos)	colemos	colaríamos
coléis	colarais (-seis)	colad (no coléis)	colaríais
cuelen	colaran (-sen)	cuelen Vds.	colarían

infinitivo: colar **gerundio:** colando **participio:** colado

colgar **wisieć**

Akcentowane **o** w temacie przechodzi w **ue**; **g** przed **e** zmienia się w **gu**.

Indicativo

presente	imperfecto	pret. indef.	futuro
cuelgo	colgaba	colgué	colgaré
cuelgas	colgabas	colgaste	colgarás
cuelga	colgaba	colgó	colgará
colgamos	colgábamos	colgamos	colgaremos
colgáis	colgabais	colgasteis	colgaréis
cuelgan	colgaban	colgaron	colgarán

Subjuntivo

Imperativo

presente	imperfecto		condicional
cuelgue	colgara (-se)	–	colgaría
cuelgues	colgaras (-ses)	cuelga (no cuelgues)	colgarías
cuelgue	colgara (-se)	cuelgue Vd.	colgaría
colguemos	colgáramos (-semos)	colguemos	colgaríamos
colguéis	colgarais (-seis)	colgad (no colguéis)	colgaríais
cuelguen	colgaran (-sen)	cuelguen Vds.	colgarían

infinitivo: colgar   **gerundio:** colgando   **participio:** colgado

comenzar *rozpoczynać*

Akcentowane **e** w temacie przechodzi w **ie**; **z** przed **e** zmienia się w **c**.

Indicativo

presente	imperfecto	pret. indef.	futuro
comienzo	comenzaba	comencé	comenzaré
comienzas	comenzabas	comenzaste	comenzarás
comienza	comenzaba	comenzó	comenzará
comenzamos	comenzábamos	comenzamos	comenzaremos
comenzáis	comenzabais	comenzasteis	comenzaréis
comienzan	comenzaban	comenzaron	comenzarán

Subjuntivo

Imperativo

presente	imperfecto		condicional
comience	comenzara (-se)	–	comenzaría
comiences	comenzaras (-ses)	comienza (no comiences)	comenzarías
comience	comenzara (-se)	comience Vd.	comenzaría
comencemos	comenzáramos (-semos)	comencemos	comenzaríamos
comencéis	comenzarais (-seis)	comenzad (no comencéis)	comenzaríais
comiencen	comenzaran (-sen)	comiencen Vds.	comenzarían

infinitivo: comenzar   **gerundio:** comenzando   **participio:** comenzado

Pierwsza koniugacja

comprobar *sprawdzać*

Akcentowane **o** w temacie przechodzi w **ue**.

Indicativo

presente	imperfecto	pret. indef.	futuro
compruebo	comprobaba	comprobé	comprobaré
compruebas	comprobabas	comprobaste	comprobarás
comprueba	comprobaba	comprobó	comprobará
comprobamos	comprobábamos	comprobamos	comprobaremos
comprobáis	comprobabais	comprobasteis	comprobaréis
comprueban	comprobaban	comprobaron	comprobarán

Subjuntivo — Imperativo

presente	imperfecto	Imperativo	condicional
compruebe	comprobara (-se)	–	comprobaría
compruebes	comprobaras (-ses)	comprueba (no compruebes)	comprobarías
compruebe	comprobara (-se)	compruebe Vd.	comprobaría
comprobemos	comprobáramos (-semos)	comprobemos	comprobaríamos
comprobéis	comprobarais (-seis)	comprobad (no comprobéis)	comprobaríais
comprueben	comprobaran (-sen)	comprueben Vds.	comprobarían

infinitivo: comprobar   **gerundio:** comprobando   **participio:** comprobado

confiar *ufać*

Akcentowane **i** w temacie nosi akcent graficzny.

Indicativo

presente	imperfecto	pret. indef.	futuro
confío	confiaba	confié	confiaré
confías	confiabas	confiaste	confiarás
confía	confiaba	confió	confiará
confiamos	confiábamos	confiamos	confiaremos
confiáis	confiabais	confiasteis	confiaréis
confían	confiaban	confiaron	confiarán

Subjuntivo — Imperativo

presente	imperfecto	Imperativo	condicional
confíe	confiara (-se)	–	confiaría
confíes	confiaras (-ses)	confía (no confíes)	confiarías
confíe	confiara (-se)	confíe Vd.	confiaría
confiemos	confiáramos (-semos)	confiemos	confiaríamos
confiéis	confiarais (-seis)	confiad (no confiéis)	confiaríais
confíen	confiaran (-sen)	confíen Vds.	confiarían

infinitivo: confiar   **gerundio:** confiando   **participio:** confiado

contar *liczyć*

Akcentowane **o** w temacie przechodzi w **ue**.

Indicativo

presente	imperfecto	pret. indef.	futuro
cuento	contaba	conté	contaré
cuentas	contabas	contaste	contarás
cuenta	contaba	contó	contará
contamos	contábamos	contamos	contaremos
contáis	contabais	contasteis	contaréis
cuentan	contaban	contaron	contarán

Subjuntivo

Imperativo

presente	imperfecto		condicional
cuente	contara (-se)	–	contaría
cuentes	contaras (-ses)	cuenta (no cuentes)	contarías
cuente	contara (-se)	cuente Vd.	contaría
contemos	contáramos (-semos)	contemos	contaríamos
contéis	contarais (-seis)	contad (no contéis)	contaríais
cuenten	contaran (-sen)	cuenten Vds.	contarían

infinitivo: contar **gerundio:** contando **participio:** contado

costar *kosztować*

Akcentowane **o** w temacie przechodzi w **ue**.

Indicativo

presente	imperfecto	pret. indef.	futuro
cuesto	costaba	costé	costaré
cuestas	costabas	costaste	costarás
cuesta	costaba	costó	costará
costamos	costábamos	costamos	costaremos
costáis	costabais	costasteis	costaréis
cuestan	costaban	costaron	costarán

Subjuntivo

Imperativo

presente	imperfecto		condicional
cueste	costara (-se)	–	costaría
cuestes	costaras (-ses)	cuesta (no cuestes)	costarías
cueste	costara (-se)	cueste Vd.	costaría
costemos	costáramos (-semos)	costemos	costaríamos
costéis	costarais (-seis)	costad (no costéis)	costaríais
cuesten	costaran (-sen)	cuesten Vds.	costarían

infinitivo: costar **gerundio:** costando **participio:** costado

cruzar *krzyżować*

z w temacie przechodzi przed **e** w **c**.

Indicativo

presente	imperfecto	pret. indef.	futuro
cruzo	cruzaba	crucé	cruzaré
cruzas	cruzabas	cruzaste	cruzarás
cruza	cruzaba	cruzó	cruzará
cruzamos	cruzábamos	cruzamos	cruzaremos
cruzáis	cruzabais	cruzasteis	cruzaréis
cruzan	cruzaban	cruzaron	cruzarán

Subjuntivo   Imperativo

presente	imperfecto		condicional
cruce	cruzara (-se)	–	cruzaría
cruces	cruzaras (-ses)	cruza (no cruces)	cruzarías
cruce	cruzara (-se)	cruce Vd.	cruzaría
crucemos	cruzáramos (-semos)	crucemos	cruzaríamos
crucéis	cruzarais (-seis)	cruzad (no crucéis)	cruzaríais
crucen	cruzaran (-sen)	crucen Vds.	cruzarían

infinitivo: cruzar   **gerundio:** cruzando   **participio:** cruzado

dar *dawać*

Indicativo

presente	imperfecto	pret. indef.	futuro
doy	daba	di	daré
das	dabas	diste	darás
da	daba	dio	dará
damos	dábamos	dimos	daremos
dais	dabais	disteis	daréis
dan	daban	dieron	darán

Subjuntivo   Imperativo

presente	imperfecto		condicional
dé	diera (-se)	–	daría
des	dieras (-ses)	da (no des)	darías
dé	diera (-se)	dé Vd.	daría
demos	diéramos (-semos)	demos	daríamos
deis	dierais (-seis)	dad (nos deis)	daríais
den	dieran (-sen)	den Vds.	darían

infinitivo: dar   **gerundio:** dando   **participio:** dado

degollar *podrzynać gardło*

Akcentowane **o** w temacie przechodzi w **üe**.

Indicativo

presente	imperfecto	pret. indef.	futuro
degüello	degollaba	degollé	degollaré
degüellas	degollabas	degollaste	degollarás
degüella	degollaba	degolló	degollará
degollamos	degollábamos	degollamos	degollaremos
degolláis	degollabais	degollasteis	degollaréis
degüellan	degollaban	degollaron	degollarán

Subjuntivo | | Imperativo

presente	imperfecto		condicional
degüelle	degollara (-se)	–	degollaría
degüelles	degollaras (-ses)	degüella (no degüelles)	degollarías
degüelle	degollara (-se)	degüelle Vd.	degollaría
degollemos	degolláramos (-semos)	degollemos	degollaríamos
degolléis	degollarais (-seis)	degollad (no degolléis)	degollaríais
degüellen	degollaran (-sen)	degüellen Vds.	degollarían

infinitivo: degollar   **gerundio:** degollando   **participio:** degollado

derrocar *obalić (rząd, władcę)*

Dopuszcza się dwie formy odmiany: regularną oraz – wychodzącą z użycia – nieregularną, w której akcentowane **o** przechodzi w **ue**; tematyczne **c** przed **e** przechodzi w **qu**; forma **ue** rzadko używana.

Indicativo

presente	imperfecto	pret. indef.	futuro
derroco derrueco	derrocaba	derroqué	derrocaré
derrocas derruecas	derrocabas	derrocaste	derrocarás
derroca derrueca	derrocaba	derrocó	derrocará
derrocamos	derrocábamos	derrocamos	derrocaremos
derrocáis	derrocabais	derrocasteis	derrocaréis
derrocan derruecan	derrocaban	derrocaron	derrocarán

Subjuntivo | | Imperativo

presente	imperfecto		condicional
derroque derrueque	derrocara (-se)	–	derrocaría
derroques derrueques	derrocaras (-ses)	derroca derrueca	derrocarías
derroque derrueque	derrocara (-se)	derroque derrueque Vd.	derrocaría
derroquemos	derrocáramos (-semos)	derroquemos	derrocaríamos
derroquéis	derrocarais (-seis)	derrocad (no derroquéis)	derrocaríais
derroquen derruequen	derrocaran (-sen)	derroquen derruequen Vds.	derrocarían

infinitivo: derrocar   **gerundio:** derrocando   **participio:** derrocado

29

Pierwsza koniugacja

despertar *budzić*

Akcentowane **e** w temacie przechodzi w **ie**.

Indicativo

presente	imperfecto	pret. indef.	futuro
despierto	despertaba	desperté	despertaré
despiertas	despertabas	despertaste	despertarás
despierta	despertaba	despertó	despertará
despertamos	despertábamos	despertamos	despertaremos
despertáis	despertabais	despertasteis	despertaréis
despiertan	despertaban	despertaron	despertarán

Subjuntivo

Imperativo

presente	imperfecto		condicional
despierte	despertara (-se)	–	despertaría
despiertes	despertaras (-ses)	despierta (no despiertes)	despertarías
despierte	despertara (-se)	despierte Vd.	despertaría
despertemos	despertáramos (-semos)	despertemos	despertaríamos
despertéis	despertarais (-seis)	despertad (no despertéis)	despertaríais
despierten	despertaran (-sen)	despierten Vds.	despertarían

infinitivo: despertar **gerundio:** despertando **participio:** despertado

destrozar *rozbić, niszczyć*

z przed **e** zmienia się w **c**.

Indicativo

presente	imperfecto	pret. indef.	futuro
destrozo	destrozaba	destrocé	destrozaré
destrozas	destrozabas	destrozaste	destrozarás
destroza	destrozaba	destrozó	destrozará
destrozamos	destrozábamos	destrozamos	destrozaremos
destrozáis	destrozabais	destrozasteis	destrozaréis
destrozan	destrozaban	destrozaron	destrozarán

Subjuntivo

Imperativo

presente	imperfecto		condicional
destroce	destrozara (-se)	–	destrozaría
destroces	destrozaras (-ses)	destroza (no destroces)	destrozarías
destroce	destrozara (-se)	destroce Vd.	destrozaría
destrocemos	destrozáramos (-semos)	destrocemos	destrozaríamos
destrocéis	destrozarais (-seis)	destrozad (no destrocéis)	destrozaríais
destrocen	destrozaran (-sen)	destrocen Vds.	destrozarían

infinitivo: destrozar **gerundio:** destrozando **participio:** destrozado

empezar *zaczynać*

Akcentowane **e** w temacie przechodzi w **ie**; **z** przed **e** zmienia się w **c**.

Indicativo

presente	imperfecto	pret. indef.	futuro
empiezo	empezaba	empecé	empezaré
empiezas	empezabas	empezaste	empezarás
empieza	empezaba	empezó	empezará
empezamos	empezábamos	empezamos	empezaremos
empezáis	empezabais	empezasteis	empezaréis
empiezan	empezaban	empezaron	empezarán

Subjuntivo

Imperativo

presente	imperfecto		condicional
empiece	empezara (-se)	–	empezaría
empieces	empezaras (-ses)	empieza (no empieces)	empezarías
empiece	empezara (-se)	empiece Vd.	empezaría
empecemos	empezáramos (-semos)	empecemos	empezaríamos
empecéis	empezarais (-seis)	empezad (no empecéis)	empezaríais
empiecen	empezaran (-sen)	empiecen Vds.	empezarían

infinitivo: empezar   **gerundio:** empezando   **participio:** empezado

encontrar *znaleźć, spotkać*

Akcentowane **o** w temacie przechodzi w **ue**.

Indicativo

presente	imperfecto	pret. indef.	futuro
encuentro	encontraba	encontré	encontraré
encuentras	encontrabas	encontraste	encontrarás
encuentra	encontraba	encontró	encontrará
encontramos	encontrábamos	encontramos	encontraremos
encontráis	encontrabais	encontrasteis	encontraréis
encuentran	encontraban	encontraron	encontrarán

Subjuntivo

Imperativo

presente	imperfecto		condicional
encuentre	encontrara (-se)	–	encontraría
encuentres	encontraras (-ses)	encuentra (no encuentres)	encontrarías
encuentre	encontrara (-se)	encuentre Vd.	encontraría
encontremos	encontráramos (-semos)	encontremos	encontraríamos
encontréis	encontrarais (-seis)	encontrad (no encontréis)	encontraríais
encuentren	encontraran (-sen)	encuentren Vds.	encontrarían

infinitivo: encontrar   **gerundio:** encontrando   **participio:** encontrado

Pierwsza koniugacja

engrosar *pogrubiać, tyć*

Akcentowane **o** w temacie przechodzi w **ue**; dopuszcza się również formę regularną bez dyftongu; istnieje też forma regularna *engruesar* (bardzo rzadko używana) z dyftongiem w całej odmianie (od słowa *grueso* – gruby).

Indicativo

presente	imperfecto	pret. indef.	futuro
engrueso engroso	engrosaba	engrosé	engrosaré
engruesas engrosas	engrosabas	engrosaste	engrosarás
engruesa engrosa	engrosaba	engrosó	engrosará
engrosamos	engrosábamos	engrosamos	engrosaremos
engrosáis	engrosabais	engrosasteis	engrosaréis
engruesan engrosan	engrosaban	engrosaron	engrosarán

Subjuntivo

Imperativo

presente	imperfecto		condicional
engruese engrose	engrosara (-se)	–	engrosaría
engrueses engroses	engrosaras (-ses)	engruesa engrosa (no engrueses no engroses)	engrosarías
engruese engrose	engrosara (-se)	engruese Vd. engroseVd.	engrosaría
engrosemos	engrosáramos (-semos)	engrosemos	engrosaríamos
engroséis	engrosarais (-seis)	engrosad (no engroséis)	engrosaríais
engruesen engrosen	engrosaran (-sen)	engruesen Vds. engrosen Vds.	engrosarían

infinitivo: engrosar **gerundio:** engrosando **participio:** engrosado

enraizar *zakorzeniać, ukorzeniać się*

Akcentowane **i** w temacie nosi akcent graficzny; **z** przed **e** zmienia się w **c**.

Indicativo

presente	imperfecto	pret. indef.	futuro
enraízo	enraizaba	enraicé	enraizaré
enraízas	enraizabas	enraizaste	enraizarás
enraíza	enraizaba	enraizó	enraizará
enraizamos	enraizábamos	enraizamos	enraizaremos
enraizáis	enraizabais	enraizasteis	enraizaréis
enraízan	enraizaban	enraizaron	enraizarán

Subjuntivo

Imperativo

presente	imperfecto		condicional
enraíce	enraizara (-se)	–	enraizaría
enraíces	enraizaras (-ses)	enraíza (no enraíces)	enraizarías
enraíce	enraizara (-se)	enraíce Vd.	enraizaría
enraicemos	enraizáramos (-semos)	enraicemos	enraizaríamos
enraicéis	enraizarais (-seis)	enraizad (no enraicéis)	enraizaríais
enraícen	enraizaran (-sen)	enraícen Vds.	enraizarían

infinitivo: enraizar **gerundio:** enraizando **participio:** enraizado

enterar *powiadamiać, informować*

Czasownik regularny w odróżnieniu od *enterrar* (patrz niżej).

Indicativo

presente	imperfecto	pret. indef.	futuro
entero	enteraba	enteré	enteraré
enteras	enterabas	enteraste	enterarás
entera	enteraba	enteró	enterará
enteramos	enterábamos	enteramos	enteraremos
enteráis	enterabais	enterasteis	enteraréis
enteran	enteraban	enteraron	enterarán

Subjuntivo

Imperativo

presente	imperfecto		condicional
entere	enterara (-se)	–	enteraría
enteres	enteraras (-ses)	entera (no enteres)	enterarías
entere	enterara (-se)	entere Vd.	enteraría
enteremos	enteráramos (-semos)	enteremos	enteraríamos
enteréis	enterarais (-seis)	enterad (no enteréis)	enteraríais
enteren	enteraran (-sen)	enteren	enterarian

infinitivo: enterar **gerundio:** enterando **participio:** enterado

enterrar *pochować, zakopać (w ziemi)*

Akcentowane **e** w temacie przechodzi w **ie** w odróżnieniu od *enterar* (patrz wyżej).

Indicativo

presente	imperfecto	pret. indef.	futuro
entierro	enterraba	enterré	enterraré
entierras	enterrabas	enterraste	enterrarás
entierra	enterraba	enterró	enterrará
enterramos	enterrábamos	enterramos	enterraremos
enterráis	enterrabais	enterrasteis	enterraréis
entierran	enterraban	enterraron	enterrarán

Subjuntivo

Imperativo

presente	imperfecto		condicional
entierre	enterrara (-se)	–	enterraría
entierres	enterraras (-ses)	entierra (no entierres)	enterrarías
entierre	enterrara (-se)	entierre Vd.	enterraría
enterremos	enterráramos (-semos)	enterremos	enterraríamos
enterréis	enterrarais (-seis)	enterad (no enterréis)	enterraríais
entierren	enterraran (-sen)	entierren Vds.	enterrarían

infinitivo: enterrar **gerundio:** enterrando **participio:** enterrado

Pierwsza koniugacja

errar *mylić się, błądzić*

Akcentowane **e** w temacie przechodzi na początku wyrazu w **ye**.

Indicativo

presente	imperfecto	pret. indef.	futuro
yerro	erraba	erré	erraré
yerras	errabas	erraste	errarás
yerra	erraba	erró	errará
erramos	errábamos	erramos	erraremos
erráis	errabais	errasteis	erraréis
yerran	erraban	erraron	errarán

Subjuntivo

Imperativo

presente	imperfecto		condicional
yerre	errara (-se)	–	erraría
yerres	erraras (-ses)	yerra (no yerres)	errarías
yerre	errara (-se)	yerre Vd.	erraría
erremos	erráramos (-semos)	erremos	erraríamos
erréis	errarais (-seis)	errad (no erréis)	erraríais
yerren	erraran (-sen)	yerren Vds.	errarían

infinitivo: errar   **gerundio:** errando   **participio:** errado

evaluar *szacować, oceniać*

Akcentowane **u** na końcu tematu nosi akcent graficzny.

Indicativo

presente	imperfecto	pret. indef.	futuro
evalúo	evaluaba	evalué	evaluaré
evalúas	evaluabas	evaluaste	evaluarás
evalúa	evaluaba	evaluó	evaluará
evaluamos	evaluábamos	evaluamos	evaluarémos
evaluáis	evaluabais	evaluasteis	evaluaréis
evalúan	evaluaban	evaluaron	evaluarán

Subjuntivo

Imperativo

presente	imperfecto		condicional
evalúe	evaluara (-se)	–	evaluaría
evalúes	evaluaras (-ses)	evalúa (no evalúes)	evaluarías
evalúe	evaluara (-se)	evalúe Vd.	evaluaría
evaluemos	evaluáramos (-semos)	evaluemos	evaluaríamos
evaluéis	evaluarais (-seis)	evaluad (no evaluéis)	evaluaríais
evalúen	evaluaran (-sen)	evalúen Vds.	evaluarían

infinitivo: evaluar   **gerundio:** evaluando   **participio:** evaluado

expiar *wyznać winy, odpokutować*

Akcentowane **i** na końcu tematu nosi akcent graficzny.

Indicativo

presente	imperfecto	pret. indef.	futuro
expío	expiaba	expié	expiaré
expías	expiabas	expiaste	expiarás
expía	expiaba	expió	expiará
expiamos	expiábamos	expiamos	expiaremos
expiáis	expiabais	expiasteis	expiaréis
expían	expiaban	expiaron	expiarán

Subjuntivo   Imperativo

presente	imperfecto		condicional
expíe	expiara (-se)	–	expiaría
expíes	expiaras(-ses)	expía (no expíes)	expiarías
expíe	expiara (-se)	expíe Vd.	expiaría
expiemos	expiáramos (-semos)	expiemos	expiaríamos
expiéis	expiarais (-seis)	expiad (no expiéis)	expiaríais
expíen	expiaran (-sen)	expíen Vds.	expiarían

infinitivo: expiar   **gerundio:** expiando   **participio:** expiado

forzar *zmuszać, forsować*

ale również: wyłamywać (drzwi)
Akcentowane **o** w temacie przechodzi w **ue**; **z** przed **e** zmienia się w **c**.

Indicativo

presente	imperfecto	pret. indef.	futuro
fuerzo	forzaba	forcé	forzaré
fuerzas	forzabas	forzaste	forzarás
fuerza	forzaba	forzó	forzará
forzamos	forzábamos	forzamos	forzaremos
forzáis	forzabais	forzasteis	forzaréis
fuerzan	forzaban	forzaron	forzarán

Subjuntivo   Imperativo

presente	imperfecto		condicional
fuerce	forzara (-se)	–	forzaría
fuerces	forzaras (-ses)	fuerza (no fuerces)	forzarías
fuerce	forzara (-se)	fuerce Vd.	forzaría
forcemos	forzáramos (-semos)	forcemos	forzaríamos
forcéis	forzarais (-seis)	forzad (no forcéis)	forzaríais
fuercen	forzaran (-sen)	fuercen Vds.	forzarían

infinitivo: forzar   **gerundio:** forzando   **participio:** forzado

Pierwsza koniugacja

fraguar *kuć; wymyślać*

gu w temacie przechodzi przed **e** w **gü**.

Indicativo

presente	imperfecto	pret. indef.	futuro
fraguo	fraguaba	fragüé	fraguaré
fraguas	fraguabas	fraguaste	fraguarás
fragua	fraguaba	fraguó	fraguará
fraguamos	fraguábamos	fraguamos	fraguaremos
fraguáis	fraguábais	fraguasteis	fraguaréis
fraguan	fraguaban	fraguaron	fraguarán

Subjuntivo

Imperativo

presente	imperfecto		condicional
fragüe	fraguara (-se)	–	fraguaría
fragües	fraguaras (-ses)	fragua (no fragües)	fraguarías
fragüe	fraguara (-se)	fragüe Vd.	fraguaría
fragüemos	fraguáramos (-semos)	fragüemos	fraguaríamos
fragüéis	fraguarais (-seis)	fraguad (no fragüéis)	fraguaríais
fragüen	fraguaran (-sen)	fragüen Vds.	fraguarían

infinitivo: fraguar   **gerundio:** fraguando   **participio:** fraguado

fregar *zmywać, myć (naczynia, podłogę)*

Akcentowane **e** w temacie przechodzi w **ie**;
tematyczne **g** przed **e** zmienia się w **gu**.

Indicativo

presente	imperfecto	pret. indef.	futuro
friego	fregaba	fregué	fregaré
friegas	fregabas	fregaste	fregarás
friega	fregaba	fregó	fregará
fregamos	fregábamos	fregamos	fregaremos
fregáis	fregabais	fregasteis	fregareis
friegan	fregaban	fregaron	fregaran

Subjuntivo

Imperativo

presente	imperfecto		condicional
friegue	fregara (-se)	–	fregaría
friegues	fregaras (-ses)	friega (no friegues)	fregarías
friegue	fregara (-se)	friegue Vd.	fregaría
freguemos	fregáramos (-semos)	freguemos	fregaríamos
freguéis	fregarais (-seis)	fregad (no freguéis)	fregaríais
frieguen	fregaran (-sen)	frieguen Vds.	fregarían

infinitivo: fregar   **gerundio:** fregando   **participio:** fregado

guiar *prowadzić, przewodzić*

Akcentowane **i** w temacie nosi akcent graficzny.

Indicativo

presente	imperfecto	pret. indef.	futuro
guío	guiaba	guié	guiaré
guías	guiabas	guiaste	guiarás
guía	guiaba	guió	guiaré
guiamos	guiábamos	guiamos	guiaremos
guiáis	guiabais	guiasteis	guiaréis
guían	guiaban	guiaron	guiarán

Subjuntivo   Imperativo

presente	imperfecto		condicional
guíe	guiara (-se)	–	guiaría
guíes	guiaras (-ses)	guía (no guíes)	guiarías
guíe	guiara (-se)	guíe Vd.	guiaría
guiemos	guiáramos (-semos)	guiemos	guiaríamos
guiéis	guiarais (-seis)	guiad (no guiéis)	guiaríais
guíen	guiaran (-sen)	guíen Vds.	guiarían

infinitivo: guiar   **gerundio:** guiando   **participio:** guiado

holgar *być zbytecznym, próżnować*

Akcentowane **o** w temacie przechodzi w **ue**; tematyczne **g** przed **e** przechodzi w **gu**.

Indicativo

presente	imperfecto	pret. indef.	futuro
huelgo	holgaba	holgué	holgaré
huelgas	holgabas	holgaste	holgarás
huelga	holgaba	holgó	holgará
holgamos	holgábamos	holgamos	holgaremos
holgáis	holgabais	holgasteis	holgaréis
huelgan	holgaban	holgaron	holgarán

Subjuntivo   Imperativo

presente	imperfecto		condicional
huelgue	holgara (-se)	–	holgaría
huelgues	holgaras (-ses)	huelga (no huelgues)	holgarías
huelgue	holgara (-se)	huelgue Vd.	holgaría
holguemos	holgáramos (-semos)	holguemos	holgaríamos
holguéis	holgarais (-seis)	holgad (no holguéis)	holgaríais
huelguen	holgaran (-sen)	huelguen Vds.	holgarían

infinitivo: holgar   **gerundio:** holgando   **participio:** holgado

Pierwsza koniugacja

jugar *grać, bawić się*

Akcentowane **u** w temacie przechodzi w **ue**, a spółgłoska **g** przed **e** – w **gu** (**u** nieme).

Indicativo

presente	imperfecto	pret. indef.	futuro
juego	jugaba	jugué	jugaré
juegas	jugabas	jugaste	jugarás
juega	jugaba	jugó	jugará
jugamos	jugábamos	jugamos	jugaremos
jugáis	jugabais	jugasteis	jugaréis
juegan	jugaban	jugaron	jugarán

Subjuntivo   Imperativo

presente	imperfecto		condicional
juegue	jugara (-se)	–	jugaría
juegues	jugaras (-ses)	juega (no juegues)	jugarías
juegue	jugara (-se)	juegue Vd.	jugaría
juguemos	jugáramos (-semos)	juguemos	jugaríamos
juguéis	jugarais (-seis)	jugad (no juguéis)	jugaríais
jueguen	jugaran (-sen)	jueguen Vds.	jugarían

infinitivo: jugar   **gerundio:** jugando   **participio:** jugado

liar *wiązać, związać się (z kimś)*

Akcentowane **i** w temacie nosi akcent graficzny.

Indicativo

presente	imperfecto	pret. indef.	futuro
lío	liaba	lié	liaré
lías	liabas	liaste	liarás
lía	liaba	lió	liará
liamos	liábamos	liamos	liaremos
liáis	liabais	liasteis	liaréis
lían	liaban	liaron	liarán

Subjuntivo   Imperativo

presente	imperfecto		condicional
líe	liara (-se)	–	liaría
líes	liaras(-ses)	lía (no líes)	liarías
líe	liara (-se)	líe Vd.	liaría
liemos	liáramos (-semos)	liemos	liaríamos
liéis	liarais (-seis)	liad (no liéis)	liaríais
líen	liaran (-sen)	líen Vds.	liarían

infinitivo: liar   **gerundio:** liando   **participio:** liado

menguar *uszczuplać, odjąć*

ale również: ubywać
gu zmienia się w **gü** przed **e**.

Indicativo

presente	imperfecto	pret. indef.	futuro
menguo	menguaba	mengüé	menguaré
menguas	menguabas	menguaste	menguarás
mengua	menguaba	menguó	menguará
menguamos	menguábamos	menguamos	menguaremos
menguáis	menguabais	menguasteis	menguaréis
menguan	menguaban	menguaron	menguarán

Subjuntivo

Imperativo

presente	imperfecto		condicional
mengüe	menguara (-se)	–	menguaría
mengües	menguaras (-ses)	mergua (no mengües)	menguarías
mengüe	menguara (-se)	mengüe Vd.	menguaría
mengüemos	menguáramos (-semos)	mengüemos	menguaríamos
mengüéis	menguárais (-seis)	merguad (no mengüéis)	menguaríais
mengüen	menguaran (-sen)	mengüen Vds.	menguarían

infinitivo: menguar   **gerundio:** menguando   **participio:** menguado

mostrar *pokazywać*

Akcentowane **o** w temacie przechodzi w **ue**.

Indicativo

presente	imperfecto	pret. indef.	futuro
muestro	mostraba	mostré	mostraré
muestras	mostrabas	mostraste	mostrarás
muestra	mostraba	mostró	mostrará
mostramos	mostrábamos	mostramos	mostraremos
mostráis	mostrabais	mostrasteis	mostraréis
muestran	mostraban	mostraron	mostrarán

Subjuntivo

Imperativo

presente	imperfecto		condicional
muestre	mostrara (-se)	–	mostraría
muestres	mostraras (-ses)	muestra (no muestres)	mostrarías
muestre	mostrara (-se)	muestre Vd.	mostraría
mostremos	mostráramos (-semos)	mostremos	mostraríamos
mostréis	mostrarais (-seis)	mostrad (no mostréis)	mostraríais
muestren	mostraran (-sen)	muestren Vds.	mostrarían

infinitivo: mostrar   **gerundio:** mostrando   **participio:** mostrado

Pierwsza koniugacja

pagar *płacić*

Spółgłoska **g** przechodzi przed **e** w **gu** (**u** nieme).

Indicativo

presente	imperfecto	pret. indef.	futuro
pago	pagaba	pagué	pagaré
pagas	pagabas	pagaste	pagarás
paga	pagaba	pagó	pagará
pagamos	pagábamos	pagamos	pagaremos
pagáis	pagabais	pagasteis	pagaréis
pagan	pagaban	pagaron	pagarán

Subjuntivo

Imperativo

presente	imperfecto		condicional
pague	pagara (-se)	–	pagaría
pagues	pagaras (-ses)	paga (no pagues)	pagarías
pague	pagara (-se)	pague Vd.	pagaría
paguemos	pagáramos (-semos)	paguemos	pagaríamos
paguéis	pagarais (-seis)	pagad (no paguéis)	pagaríais
paguen	pagaran (-sen)	paguen Vds.	pagarían

infinitivo: pagar   **gerundio:** pagando   **participio:** pagado

pensar *myśleć*

Akcentowane **e** w temacie przechodzi w **ie**.

Indicativo

presente	imperfecto	pret. indef.	futuro
pienso	pensaba	pensé	pensaré
piensas	pensabas	pensaste	pensarás
piensa	pensaba	pensó	pensará
pensamos	pensábamos	pensamos	pensaremos
pensáis	pensabais	pensasteis	pensaréis
piensan	pensaban	pensaron	pensarán

Subjuntivo

Imperativo

presente	imperfecto		condicional
piense	pensara (-se)	–	pensaría
pienses	pensaras (-ses)	piensa (no pienses)	pensarías
piense	pensara (-se)	piense Vd.	pensaría
pensemos	pensáramos (-semos)	pensemos	pensaríamos
penséis	pensarais (-seis)	pensad (no penséis)	pensaríais
piensen	pensaran (-sen)	piensen Vds.	pensarían

infinitivo: pensar   **gerundio:** pensando   **participio:** pensado

plegar składać, marszczyć

Akcentowane **e** w temacie przechodzi w **ie**; **g** przed **e** zmienia się w **gu**.

Indicativo

presente	imperfecto	pret. indef.	futuro
pliego	plegaba	plegué	plegaré
pliegas	plegabas	plegaste	plegarás
pliega	plegaba	plegó	plegará
plegamos	plegábamos	plegamos	plegaremos
plegáis	plegabais	plegasteis	plegaréis
pliegan	plegaban	plegaron	plegarán

Subjuntivo

presente	imperfecto	Imperativo	condicional
pliegue	plegara (-se)	–	plegaría
pliegues	plegaras (-ses)	pliega (no pliegues)	plegarías
pliegue	plegara (-se)	pliegue Vd.	plegaría
pleguemos	plegáramos (-semos)	pleguemos	plegaríamos
pleguéis	plegarais (-seis)	plegad (no pleguéis)	plegaríais
plieguen	plegaran (-sen)	plieguen Vds.	plegarían

infinitivo: plegar **gerundio:** plegando **participio:** plegado

poblar zaludniać

Akcentowane **o** w temacie przechodzi w **ue**.

Indicativo

presente	imperfecto	pret. indef.	futuro
pueblo	poblaba	poblé	poblaré
pueblas	poblabas	poblaste	poblarás
puebla	poblaba	pobló	poblará
poblamos	poblábamos	poblamos	poblaremos
pobláis	poblabais	poblasteis	poblaréis
pueblan	poblaban	poblaron	poblarán

Subjuntivo

presente	imperfecto	Imperativo	condicional
pueble	poblara (-se)	–	poblaría
puebles	poblaras (-ses)	puebla (no puebles)	poblarías
pueble	poblara (-se)	pueble Vd.	poblaría
poblemos	pobláramos (-semos)	poblemos	poblaríamos
pobléis	poblarais (-seis)	poblad (no pobléis)	poblaríais
pueblen	poblaran (-sen)	pueblen Vds.	poblarían

infinitivo: poblar **gerundio:** poblando **participio:** poblado

41

Pierwsza koniugacja

quebrar *zbić, stłuc, zbankrutować*

Akcentowane **e** w temacie przechodzi w **ie**.

Indicativo

presente	imperfecto	pret. indef.	futuro
quiebro	quebraba	quebré	quebraré
quiebras	quebrabas	quebraste	quebrarás
quiebra	quebraba	quebró	quebrará
quebramos	quebrábamos	quebramos	quebraremos
quebráis	quebrabais	quebrasteis	quebrareis
quiebran	quebraban	quebraron	quebrarán

Subjuntivo   Imperativo

presente	imperfecto		condicional
quiebre	quebrara (-se)	–	quebraría
quiebres	quebraras (-ses)	quiebra (no quiebres)	quebrarías
quiebre	quebrara (-se)	quiebre Vd.	quebraría
quebremos	quebráramos (-semos)	quebremos	quebraríamos
quebréis	quebrarais (-seis)	quebrad (no quebréis)	quebraríais
quiebren	quebraran (-sen)	quiebren Vds.	quebrarían

infinitivo: quebrar   **gerundio:** quebrando   **participio:** quebrado

regar *podlewać*

Akcentowane **e** w temacie przechodzi w **ie**; **g** przed **e** zmienia się w **gu**.

Indicativo

presente	imperfecto	pret. indef.	futuro
riego	regaba	regué	regaré
riegas	regabas	regaste	regarás
riega	regaba	regó	regará
regamos	regábamos	regamos	regaremos
regáis	regabais	regasteis	regaréis
riegan	regaban	regaron	regarán

Subjuntivo   Imperativo

presente	imperfecto		condicional
riegue	regara (-se)	–	regaría
riegues	regaras (-ses)	riega (no riegues)	regarías
riegue	regara (-se)	riegue Vd.	regaría
reguemos	regáramos (-semos)	reguemos	regaríamos
reguéis	regarais (-seis)	regad (no reguéis)	regaríais
rieguen	regaran (-sen)	rieguen Vds.	regarían

infinitivo: regar   **gerundio:** regando   **participio:** regado

resfriar *studzić, oziębiać*

Akcentowane **i** na końcu tematu nosi akcent graficzny.

Indicativo

presente	imperfecto	pret. indef.	futuro
resfrío	resfriaba	resfrié	resfriaré
restrías	resfriabas	resfriaste	resfriarás
resfría	resfriaba	resfrió	resfriará
resfriamos	resfriábamos	resfriamos	resfriaremos
resfriáis	resfriabais	resfriasteis	resfriaréis
resfrían	resfriaban	resfriaron	resfriarán

Subjuntivo

Imperativo

presente	imperfecto		condicional
resfríe	resfriara (-se)	–	resfriaría
restríes	resfriaras (-ses)	restría (no restríes)	resfriarías
resfríe	resfriara (-se)	resfríe Vd.	resfriaría
resfriemos	resfriáramos (-semos)	resfriemos	resfriaríamos
resfriéis	resfriarais (-seis)	resfriad (no resfriéis)	resfriaríais
resfríen	resfriaran (-sen)	resfríen Vds.	resfriarían

infinitivo: resfriar **gerundio:** resfriando **participio:** resfriado

rogar *błagać*

Akcentowane **o** w temacie przechodzi w **ue**; **g** przed **e** zmienia się w **gu**.

Indicativo

presente	imperfecto	pret. indef.	futuro
ruego	rogaba	rogué	rogaré
ruegas	rogabas	rogaste	rogarás
ruega	rogaba	rogó	rogará
rogamos	rogábamos	rogamos	rogaremos
rogáis	rogabais	rogasteis	rogaréis
ruegan	rogaban	rogaron	rogarán

Subjuntivo

Imperativo

presente	imperfecto		condicional
ruegue	rogara (-se)	–	rogaría
ruegues	rogaras(-ses)	ruega (no ruegues)	rogarías
ruegue	rogara (-se)	ruegue Vd.	rogaría
roguemos	rogáramos (-semos)	roguemos	rogaríamos
roguéis	rogarais (-seis)	rogad (no roguéis)	rogaríais
rueguen	rogara (-se)	rueguen Vds.	rogarían

infinitivo: rogar **gerundio:** rogando **participio:** rogado

sacar *wyjmować, wyciągać*

c przed **e** zmienia się w **qu**.

Indicativo

presente	imperfecto	pret. indef.	futuro
saco	sacaba	saqué	sacaré
sacas	sacabas	sacaste	sacarás
saca	sacaba	sacó	sacará
sacamos	sacábamos	sacamos	sacaremos
sacáis	sacabais	sacasteis	sacaréis
sacan	sacaban	sacaron	sacarán

Subjuntivo   Imperativo

presente	imperfecto		condicional
saque	sacara (-se)	–	sacaría
saques	sacaras (-ses)	saca (no saques)	sacarías
saque	sacara (-se)	saque Vd.	sacaría
saquemos	sacáramos (-semos)	saquemos	sacaríamos
saquéis	sacarais (-seis)	sacad (no saquéis)	sacaríais
saquen	sacaran (-sen)	saquen Vds.	sacarían

infinitivo: sacar   **gerundio:** sacando   **participio:** sacado

secar *schnąć, suszyć*

c przed **e** zmienia się w **qu**, akcentowane **e** w temacie nie ulega zmianie
(od przymiotnika *seco – suchy*, w odróżnieniu od *segar – żąć* lub *cegar – oślepiać*).

Indicativo

presente	imperfecto	pret. indef.	futuro
seco	secaba	sequé	secaré
secas	secabas	secaste	secarás
seca	secaba	secó	secará
secamos	secábamos	secamos	secaremos
secáis	secabais	secasteis	secaréis
secan	secaban	secaron	secarán

Subjuntivo   Imperativo

presente	imperfecto		condicional
seque	secara (-se)	–	secaría
seques	secaras (-ses)	seca (no seques)	secarías
seque	secara (-ser)	seque Vd.	secaría
sequemos	secáramos (-semos)	sequemos	secaríamos
sequéis	secarais (-seis)	secad (no sequéis)	secaríais
sequen	secaran (-sen)	sequen Vds.	secarían

infinitivo: secar   **gerundio:** secando   **participio:** secado

segar *żąć, kosić*

Akcentowane **e** w temacie przechodzi w **ie**; **g** przed **e** zmienia się w **gu**.

Indicativo

presente	imperfecto	pret. indef.	futuro
siego	segaba	segué	segaré
siegas	segabas	segaste	segarás
siega	segaba	segó	segará
segamos	segábamos	segamos	segaremos
segáis	segabais	segasteis	segaréis
siegan	segaban	segaron	segarán

Subjuntivo   Imperativo

presente	imperfecto		condicional
siegue	segara (-se)	–	segaría
siegues	segaras (-ses)	siega (no siegues)	segarías
siegue	segara (-se)	siegue Vd.	segaría
seguemos	segaramos (-semos)	seguemos	segaríamos
seguéis	segarais (-seis)	segad (no seguéis)	segaríais
sieguen	segaran (-sen)	sieguen Vds.	segarían

infinitivo: segar   **gerundio:** segando   **participio:** segado

segregar *segregować, rozdzielać*

g przed **e** zmienia się w **gu**; akcentowane **e** w temacie nie zmienia się
(inaczej niż np. w *regar – podlewać*).

Indicativo

presente	imperfecto	pret. indef.	futuro
segrego	segregaba	segregué	segregaré
segregas	segregabas	segregaste	segregarás
segrega	segregaba	segregó	segregará
segregamos	segregábamos	segregamos	segregaremos
segregáis	segregabais	segregasteis	segregaréis
segregan	segregaban	segregaron	segregarán

Subjuntivo   Imperativo

presente	imperfecto		condicional
segregue	segregara (-se)	–	segregaría
segregues	segregaras (-ses)	segrega (no segregues)	segregarías
segregue	segregara (-se)	segregue Vd.	segregaría
segreguemos	segregáramos (-semos)	segreguemos	segregaríamos
segreguéis	segregarais (-seis)	segregad (no segreguéis)	segregaríais
segreguen	segregaran (-sen)	segreguen Vds.	segregarían

infinitivo: segregar   **gerundio:** segregando   **participio:** segregado

Pierwsza koniugacja

sentar *sadzać, pasować (o ubraniu)*

Akcentowane **e** w temacie przechodzi w **ie**.

Indicativo

presente	imperfecto	pret. indef.	futuro
siento	sentaba	senté	sentaré
sientas	sentabas	sentaste	sentarás
sienta	sentaba	sentó	sentará
sentamos	sentábamos	sentamos	sentaremos
sentáis	sentabais	sentasteis	sentaréis
sientan	sentaban	sentaron	sentarán

Subjuntivo / Imperativo

presente	imperfecto	Imperativo	condicional
siente	sentara (-se)	–	sentaría
sientes	sentaras (-ses)	sienta (no sientes)	sentarías
siente	sentara (-se)	siente Vd.	sentaría
sentemos	sentáramos (-semos)	sentemos	sentaríamos
sentéis	sentarais (-seis)	sentéis	sentaríais
sienten	sentaran (-sen)	sienten Vds.	sentarían

infinitivo: sentar **gerundio:** sentando **participio:** sentado

serrar *piłować*

Akcentowane **e** przechodzi w **ie**.

Indicativo

presente	imperfecto	pret. indef.	futuro
sierro	serraba	serré	serraré
sierras	serrabas	serraste	serrarás
sierra	serraba	serró	serrará
serramos	serrábamos	serramos	serraremos
serráis	serrabais	serrasteis	serraréis
sierran	serraban	serraron	serrarán

Subjuntivo / Imperativo

presente	imperfecto	Imperativo	condicional
sierre	serrara (-se)	–	serraría
sierres	serraras (-ses)	sierra (no sierres)	serrarías
sierre	serrara (-se)	sierre Vd.	serraría
serremos	serráramos (-semos)	serremos	serraríamos
serréis	serrarais (-seis)	serrad (no serréis)	serraríais
sierren	serraran (-sen)	sierren Vds.	serrarían

infinitivo: serrar **gerundio:** serrando **participio:** serrado

situar *sytuować*

Akcentowane **u** na końcu tematu nosi akcent graficzny.

Indicativo

presente	imperfecto	pret. indef.	futuro
sitúo	situaba	situé	situaré
sitúas	situabas	situaste	situarás
sitúa	situaba	situó	situará
situamos	situábamos	situamos	situaremos
situáis	situabais	situasteis	situaréis
sitúan	situaban	situaron	situarán

Subjuntivo   Imperativo

presente	imperfecto		condicional
sitúe	situara (-se)	–	situaría
sitúes	situaras (-ses)	sitúa (no sitúes)	situarías
sitúe	situara (-se)	sitúe Vd.	situaría
situemos	situáramos (-semos)	situemos	situaríamos
situéis	situarais (-seis)	situad (no situéis)	situaríais
sitúen	situaran (-sen)	sitúen Vds.	situarían

infinitivo: situar   **gerundio:** situando   **participio:** situado

soltar *puścić, rozwiązać*

Akcentowane **o** w temacie przechodzi w **ue**; drugi imiesłów używany jest w znaczeniu przymiotnikowym.

Indicativo

presente	imperfecto	pret. indef.	futuro
suelto	soltaba	solté	soltaré
sueltas	soltabas	soltaste	soltarás
suelta	soltaba	soltó	soltará
soltamos	soltábamos	soltamos	soltaremos
soltáis	soltabais	soltasteis	soltaréis
sueltan	soltaban	soltaron	soltarán

Subjuntivo   Imperativo

presente	imperfecto		condicional
suelte	soltara (-se)	–	soltaría
sueltes	soltaras (-ses)	suelta (no sueltes)	soltarías
suelte	soltara (-se)	suelte Vd.	soltaría
soltemos	soltáramos (-semos)	soltemos	soltaríamos
soltéis	soltarais (-seis)	soltad (no soltéis)	soltaríais
suelten	soltaran (-sen)	suelten Vds.	soltarían

infinitivo: soltar   **gerundio:** soltando   **participio:** soltado, suelto

Pierwsza koniugacja

sonar *brzmieć*

Akcentowane **o** w temacie przechodzi w **ue**.

Indicativo

presente	imperfecto	pret. indef.	futuro
sueno	sonaba	soné	sonaré
suenas	sonabas	sonaste	sonarás
suena	sonaba	sonó	sonará
sonamos	sonábamos	sonamos	sonaremos
sonáis	sonabais	sonasteis	sonareis
suenan	sonaban	sonaron	sonarán

Subjuntivo

Imperativo

presente	imperfecto		condicional
suene	sonara (-se)	–	sonaría
suenes	sonaras (-ses)	suena (no suenes)	sonarías
suene	sonara (-se)	suene Vd.	sonaría
sonemos	sonáramos (-semos)	sonemos	sonaríamos
sonéis	sonarais (-seis)	sonad (no sonéis)	sonaríais
suenen	sonaran (-sen)	suenen Vds.	sonarían

infinitivo: sonar   **gerundio:** sonando   **participio:** sonado

soñar *śnić, marzyć*

Akcentowane **o** w temacie przechodzi w **ue**.

Indicativo

presente	imperfecto	pret. indef.	futuro
sueño	soñaba	soñé	soñaré
sueñas	soñabas	soñaste	soñarás
sueña	soñaba	soñó	soñará
soñamos	soñábamos	soñamos	soñaremos
soñáis	soñabais	soñasteis	soñaréis
sueñan	soñaban	soñaron	soñarán

Subjuntivo

Imperativo

presente	imperfecto		condicional
sueñe	soñara (-se)	–	soñaría
sueñes	soñaras (-ses)	sueña (no sueñes)	soñarías
sueñe	soñara (-se)	sueñe Vd.	soñaría
soñemos	soñáramos (-semos)	soñemos	soñaríamos
soñéis	soñarais (-seis)	soñad (no soñéis)	soñaríais
sueñen	soñaran (-sen)	sueñen Vds.	soñarían

infinitivo: soñar   **gerundio:** soñando   **participio:** soñado

temblar drżeć, trząść się

Akcentowane **e** w temacie zmienia się w **ie**.

Indicativo

presente	imperfecto	pret. indef.	futuro
tiemblo	temblaba	temblé	temblaré
tiemblas	temblabas	teblaste	temblarás
tiembla	temblaba	tembló	temblará
temblamos	temblábamos	temblamos	temblaremos
tembláis	temblabais	temblasteis	temblaréis
tiemblan	temblaban	temblaron	temblarán

Subjuntivo

presente	imperfecto	Imperativo	condicional
tiemble	temblara (-se)	–	temblaría
tiembles	temblaras (-ses)	tiembla (no tiembles)	temblarías
tiemble	temblara (-se)	tiemble Vd.	temblaría
temblemos	tembláramos (-semos)	temblemos	temblaríamos
tembléis	temblarais (-seis)	temblad (no tembléis)	temblaríais
tiemblen	temblaran (-sen)	tiemblen Vds.	temblarían

infinitivo: temblar   **gerundio:** temblando   **participio:** temblado

tocar dotykać

Tematyczna głoska **c** przed **e** przechodzi w **qu**.

Indicativo

presente	imperfecto	pret. indef.	futuro
toco	tocaba	toqué	tocaré
tocas	tocabas	tocaste	tocarás
toca	tocaba	tocó	tocará
tocamos	tocábamos	tocamos	tocaremos
tocáis	tocabais	tocasteis	tocaréis
tocan	tocaban	tocaron	tocarán

Subjuntivo

presente	imperfecto	Imperativo	condicional
toque	tocara (-se)	–	tocaría
toques	tocaras (-ses)	toca (no toques)	tocarías
toque	tocara (-se)	toque Vd.	tocaría
toquemos	tocáramos (-semos)	toquemos	tocaríamos
toquéis	tocarais (-seis)	tocad (no toquéis)	tocaríais
toquen	tocaran (-sen)	toquen Vds.	tocarían

infinitivo: tocar   **gerundio:** tocando   **participio:** tocado

Pierwsza koniugacja

tostar *przypiekać*

Akcentowane **o** w temacie zmienia się w **ue**.

Indicativo

presente	imperfecto	pret. indef.	futuro
tuesto	tostaba	tosté	tostaré
tuestas	tostabas	tostaste	tostarás
tuesta	tostaba	tostó	tostará
tostamos	tostábamos	tostamos	tostaremos
tostáis	tostabais	tostasteis	tostaréis
tuestan	tostaban	tostaron	tostarán

Subjuntivo   Imperativo

presente	imperfecto		condicional
tueste	tostara (-se)	–	tostaría
tuestes	tostaras (-ses)	tuesta (no tuestes)	tostarías
tueste	tostara (-se)	tueste Vd.	tostaría
tostemos	tostáramos (-semos)	tostemos	tostaríamos
tostéis	tostarais (-seis)	tostad (no tostéis)	tostaríais
tuesten	tostaran (-sen)	tuesten Vds.	tostarían

infinitivo: tostar   **gerundio:** tostando   **participio:** tostado

tranquilizar *uspokajać*

z przed **e** zmienia się w **c**.

Indicativo

presente	imperfecto	pret. indef.	futuro
tranquilizo	tranquilizaba	tranquilicé	tranquilizaré
tranquilizas	tranquilizabas	tranquilizaste	tranquilizarás
tranquiliza	tranquilizaba	tranquilizó	tranquilizará
tranquilizamos	tranquilizábamos	tranquilizamos	tranquilizaremos
tranquilizáis	tranquilizabais	tranquilizasteis	tranquilizaréis
tranquilizan	tranquilizaban	tranquilizaron	tranquilizarán

Subjuntivo   Imperativo

presente	imperfecto		condicional
tranquilice	tranquilizara (-se)	–	tranquilizaría
tranquilices	tranquilizaras (-ses)	tranquiliza (no tranquilices)	tranquilizarías
tranquilice	tranquilizara (-se)	tranquilice Vd.	tranquilizaría
tranquilicemos	tranquilizáramos (-semos)	tranquilicemos	tranquilizaríamos
tranquilicéis	tranquilizarais (-seis)	tranquilizad (no tranquiliceis)	tranquilizaríais
tranquilicen	tranquilizaran (-sen)	tranquilicen Vds.	tranquilizarían

infinitivo: tranquilizar   **gerundio:** tranquilizando   **participio:** tranquilizado

trocar *zmieniać, przemieniać*

Akcentowane **o** w temacie przechodzi w **ue**; **c** przed **e** zmienia się **qu**.

Indicativo

presente	imperfecto	pret. indef.	futuro
trueco	trocaba	troqué	trocaré
truecas	trocabas	trocaste	trocarás
trueca	trocaba	trocó	trocará
trocamos	trocábamos	trocamos	trocaremos
trocáis	trocabais	trocasteis	trocaréis
truecan	trocaban	trocaron	trocarán

Subjuntivo

Imperativo

presente	imperfecto		condicional
trueque	trocara (-se)	–	trocaría
trueques	trocaras(-ses)	trueca (no trueques)	trocarías
trueque	trocara (-se)	trueque Vd.	trocaría
troquemos	trocáramos (-semos)	troquemos	trocaríamos
troquéis	trocarais (-seis)	trocad (no troquéis)	trocaríais
truequen	trocaran (-sen)	truequen Vds.	trocarían

infinitivo: trocar   **gerundio:** trocando   **participio:** trocado

tropezar *potknąć się, natknąć się*

Akcentowane **e** w temacie przechodzi w **ie**; **z** przed **e** zmienia się w **c**.

Indicativo

presente	imperfecto	pret. indef.	futuro
tropiezo	tropezaba	tropecé	tropezaré
tropiezas	tropezabas	tropezaste	tropezarás
tropieza	tropezaba	tropezó	tropezará
tropezamos	tropezábamos	tropezamos	tropezaremos
tropezáis	tropezabais	tropezasteis	tropezaréis
tropiezan	tropezaban	tropezaron	tropezarán

Subjuntivo

Imperativo

presente	imperfecto		condicional
tropiece	tropezara (-se)	–	tropezaría
tropieces	tropezaras (-ses)	tropieza (no tropieces)	tropezarías
tropiece	tropezara (-se)	tropiece Vd.	tropezaría
tropecemos	tropezáramos (-semos)	tropecemos	tropezaríamos
tropecéis	tropezarais (-seis)	tropezad (no tropecéis)	tropezaríais
tropiecen	tropezaran (-sen)	tropiecen Vds.	tropezarían

infinitivo: tropezar   **gerundio:** tropezando   **participio:** tropezado

Pierwsza koniugacja

ubicar *umieścić, sytuować*

c przed e zmienia się w **qu**.

Indicativo

presente	imperfecto	pret. indef.	futuro
ubico	ubicaba	ubiqué	ubicaré
ubicas	ubicabas	ubicaste	ubicarás
ubica	ubicaba	ubicó	ubicará
ubicamos	ubicábamos	ubicamos	ubicaremos
ubicáis	ubicabais	ubicasteis	ubicaréis
ubican	ubicaban	ubicaron	ubicarán

Subjuntivo

Imperativo

presente	imperfecto		condicional
ubique	ubicara (-se)	–	ubicaría
ubiques	ubicaras (-ses)	ubica (no ubiques)	ubicarías
ubique	ubicara (-se)	ubique Vd.	ubicaría
ubiquemos	ubicáramos (-semos)	ubiquemos	ubicaríamos
ubiquéis	ubicarais (-seis)	ubicad (no ubiquéis)	ubicaríais
ubiquen	ubicaran (-sen)	ubiquen Vds.	ubicarían

infinitivo: ubicar   **gerundio:** ubicando   **participio:** ubicado

unificar *scalać, jednoczyć*

c przed e zmienia się w **qu**.

Indicativo

presente	imperfecto	pret. indef.	futuro
unifico	unificaba	unifiqué	unificaré
unificas	unificabas	unificaste	unificarás
unifica	unificaba	unificó	unificará
unificamos	unificábamos	unificamos	unificaremos
unificáis	unificabais	unificasteis	unificaréis
unifican	unificaban	unificaron	unificarán

Subjuntivo

Imperativo

presente	imperfecto		condicional
unifique	unificara (-se)	–	unificaría
unifiques	unificaras (-ses)	unifica (no unifiques)	unificarías
unifique	unificara (-se)	unifique Vd.	unificaría
unifiquemos	unificáramos (-semos)	unifiquemos	unificaríamos
unifiquéis	unificarais (-seis)	unif cad (no unifiquéis)	unificaríais
unifiquen	unificaran (-sen)	unifiquen Vds.	unificarían

infinitivo: unificar   **gerundio:** unificando   **participio:** unificado

utilizar *używać, użytkować*

z przed **e** zmienia się w **c**.

Indicativo

presente	imperfecto	pret. indef.	futuro
utilizo	utilizaba	utilicé	utilizaré
utilizas	utilizabas	utilizaste	utilizarás
utiliza	utilizaba	utilizó	utilizará
utilizamos	utilizábamos	utilizamos	utilizaremos
utlilizáis	utilizabais	utilizasteis	utilizaréis
utilizan	utilizaban	utilizaron	utilizarán

Subjuntivo

Imperativo

presente	imperfecto		condicional
utilice	utilizara (-se)	–	utilizaría
utilices	utilizaras (-ses)	utiliza (no utilices)	utilizarías
utilice	utilizara (-se)	utilice Vd.	utilizaría
utilicemos	utilizáramos (-semos)	utilicemos	utilizaríamos
utilicéis	utilizarais (-seis)	utilizad (no utilicéis)	utilizaríais
utilicen	utilizaran (-sen)	utilicen Vds.	utilizarían

infinitivo: utilizar   **gerundio:** utilizando   **participio:** utilizado

vagar *wałęsać się, włóczyć się*

g przed **e** zmienia się w **gu**.

Indicativo

presente	imperfecto	pret. indef.	futuro
vago	vagaba	vagué	vagaré
vagas	vagabas	vagaste	vagarás
vaga	vagaba	vagó	vagará
vagamos	vagábamos	vagamos	vagaremos
vagáis	vagabais	vagasteis	vagaréis
vagan	vagaban	vagaron	vagarán

Subjuntivo

Imperativo

presente	imperfecto		condicional
vague	vagara (-se)	–	vagaría
vagues	vagaras (-ses)	vaga (no vagues)	vagarías
vague	vagara (-se)	vague Vd.	vagaría
vaguemos	vagáramos (-semos)	vaguemos	vagaríamos
vaguéis	vagarais (-seis)	vagad (no vaguéis)	vagaríais
vaguen	vagaran (-sen)	vaguen Vds.	vagarían

infinitivo: vagar   **gerundio:** vagando   **participio:** vagado

Pierwsza koniugacja

variar zmieniać

W akcentowanym temacie akcent pada na **i**.

Indicativo

presente	imperfecto	pret. indef.	futuro
varío	variaba	varié	variaré
varías	variabas	variaste	variarás
varía	variaba	varió	variará
variamos	variábamos	variamos	variaremos
variáis	variabais	variasteis	variaréis
varían	variaban	variaron	variarán

Subjuntivo

presente	imperfecto	Imperativo	condicional
varíe	variara (-se)	–	variaría
varíes	variaras (-ses)	varía (no varíes)	variarías
varíe	variara (-se)	varíe Vd.	variaría
variemos	variáramos (-semos)	variemos	variaríamos
variéis	variarais (-seis)	variad (no variéis)	variaríais
varíen	variaran (-sen)	varíen Vds.	variarían

infinitivo: variar   **gerundio:** variando   **participio:** variado

Czasowniki odmienione w tym rozdziale:

vender	creer	poseer
abastecer	defender	proponer
aborrecer	devolver	querer
absolver	disponer	raer
absorber	doler	reponer
agradecer	emerger	resolver
aparecer	encender	roer
ascender	endurecer	romper
atender	escoger	saber
atraer	hacer	satisfacer
caber	leer	soler
caer	mantener	tañer
carecer	mecer	tener
cerner	merecer	traer
cocer	morder	valer
coger	mover	vencer
compadecer	nacer	ver
conocer	oler	verter
convencer	parecer	volver
converger	perder	yacer
corromper	placer	
coser	poder	
crecer	poner	

vender *sprzedawać*

formas simples

Indicativo

presente	imperfecto	pret. indef.	futuro
vendo	vendía	vendí	venderé
vendes	vendías	vendiste	venderás
vende	vendía	vendió	venderá
vendemos	vendíamos	vendimos	venderemos
vendéis	vendíais	vendisteis	venderéis
venden	vendían	vendieron	venderán

Subjuntivo   **Imperativo**

presente	imperfecto		condicional
venda	vendiera (vendiese)	–	vendería
vendas	vendieras (-ses)	vende (no vendas)	venderías
venda	vendiera (-se)	venda Vd.	vendería
vendamos	vendiéramos (-semos)	vendamos	venderíamos
vendáis	vendierais (-seis)	vended (no vendáis)	venderíais
vendan	vendieran (-sen)	vendan Vds.	venderían

infinitivo: vender   **gerundio**: vendiendo   **participio**: vendido

formas compuestas

Indicativo

pret. perf.	pluscuamp.	pret. ant.	fut. perf.
he vendido	había vendido	hube vendido	habré vendido
has vendido	habías vendido	hubiste vendido	habrás vendido
ha vendido	había vendido	hubo vendido	habrá vendido
hemos vendido	habíamos vendido	hubimos vendido	habremos vendido
habéis vendido	habíais vendido	hubisteis vendido	habréis vendido
han vendido	habían vendido	hubieron vendido	habrán vendido

Subjuntivo

pret. perf.	pluscuamp.	cond. perf.
haya vendido	hubiera (hubiese) vendido	habría vendido
hayas vendido	hubieras (-ses) vendido	habrías vendido
haya vendido	hubiera (-se) vendido	habría vendido
hayamos vendido	hubiéramos (-semos) vendido	habríamos vendido
hayáis vendido	hubierais (-seis) vendido	habríais vendido
hayan vendido	hubieran (-sen) vendido	habrían vendido

infinitivo perf.: haber vendido   **gerundio perf.**: habiendo vendido

abastecer zaopatrywać (w żywność)

Głoska tematyczna **c** przechodzi przed **a** i **o** w **zc**.

Indicativo

presente	imperfecto	pret. indef.	futuro
abastezco	abastecía	abastecí	abasteceré
abasteces	abastecías	abasteciste	abastecerás
abastece	abastecía	abasteció	abastecerá
abastecemos	abastecíamos	abastecimos	abasteceremos
abastecéis	abastecíais	abestecisteis	abasteceréis
abastecen	abastecían	abastecieron	abastecerán

Subjuntivo / Imperativo

presente	imperfecto	Imperativo	condicional
abastezca	abasteciera (-se)	–	abastecería
abastezcas	abastecieras (-ses)	abastece (no abastezcas)	abastecerías
abastezca	abasteciera (-se)	abastezca Vd.	abastecería
abastezcamos	abasteciéramos (-semos)	abastezcamos	abasteceríamos
abastezcáis	abastecierais (-seis)	abasteced (no abastezcáis)	abasteceríais
abastezcan	abastecieran (-sen)	abastezcan Vds.	abastecerían

infinitivo: abastecer   **gerundio:** abasteciendo   **participio:** abastecido

aborrecer nienawidzić, brzydzić się

Głoska tematyczna **c** przechodzi przed **a** i **o** w **zc**.

Indicativo

presente	imperfecto	pret. indef.	futuro
aborrezco	aborrecía	aborrecí	aborreceré
aborreces	aborrecías	aborreciste	aborrecerás
aborrece	aborrecía	aborreció	aborrecerá
aborrecemos	aborrecíamos	aborrecimos	aborreceremos
aborrecéis	aborrecíais	aborrecisteis	aborreceréis
aborrecen	aborrecían	aborrecieron	aborrecerán

Subjuntivo / Imperativo

presente	imperfecto	Imperativo	condicional
aborrezca	aborreciera (-se)	–	aborrecería
aborrezcas	aborrecieras (-ses)	aborrece (no aborrezcas)	aborrecerías
aborrezca	aborreciera (-se)	aborrezca Vd.	aborrecería
aborrezcamos	aborreciéramos (-semos)	aborrezcamos	aborreceríamos
aborrezcáis	aborrecierais (-seis)	aborreced (no aborrezcáis)	aborreceríais
aborrezcan	aborrecieran (-sen)	aborrezcan Vds.	aborrecerían

infinitivo: aborrecer   **gerundio:** aborreciendo   **participio:** aborrecido

Druga koniugacja

absolver *uniewinniać*

Akcentowane **o** w temacie przechodzi w **ue**. Imiesłów kończy się na **-uelto**.

Indicativo

presente	imperfecto	pret. indef.	futuro
absuelvo	absolvía	absolví	absolveré
absuelves	absolvías	absolviste	absolverás
absuelve	absolvía	absolvió	absolverá
absolvemos	absolvíamos	absolvimos	absolveremos
absolvéis	absolvíais	absolvisteis	absolveréis
absuelven	absolvían	absolvieron	absolverán

Subjuntivo

Imperativo

presente	imperfecto		condicional
absuelva	absolviera (-se)	–	absolvería
absuelvas	absolvieras (-ses)	absuelve (no absuelvas)	absolverías
absuelva	absolviera (-se)	absuelva Vd.	absolvería
absolvamos	absolviéramos (-semos)	absolvamos	absolveríamos
absolváis	absolvierais (-seis)	absolved (no absolváis)	absolveríais
absuelvan	absolvieran (-sen)	absuelvan Vds.	absolverían

infinitivo: absolver   **gerundio:** absolviendo   **participio:** absuelto

absorber *pochłaniać, absorbować*

Akcentowane **o** w temacie nie przechodzi w **ue**
(czasownik regularny w odróżnieniu od *absolver*).

Indicativo

presente	imperfecto	pret. indef.	futuro
absorbo	absorbía	absorbí	absorberé
absorbes	absorbías	absorbiste	absorberás
absorbe	absorbía	absorbió	absorberá
absorbemos	absorbíamos	absorbimos	absorberemos
absorbéis	absorbíais	absorbisteis	absorberéis
absorben	absorbían	absorbieron	absorberán

Subjuntivo

Imperativo

presente	imperfecto		condicional
absorba	absorbiera (-se)	–	absorbería
absorbas	absorbieras (-ses)	absorbe (no absorbas)	absorberías
absorba	absorbiera (-se)	absorba Vd.	absorbería
absorbamos	absorbiéramos (-semos)	absorbamos	absorberíamos
absorbáis	absorbierais (-seis)	absorbed (no absorbáis)	absorberíais
absorban	absorbieran (-sen)	absorban Vds.	absorberían

infinitivo: absorber   **gerundio:** absorbiendo   **participio:** absorbido

agradecer *dziękować*

Głoska tematyczna **c** przechodzi przed **a** i **o** w **zc**.

Indicativo

presente	imperfecto	pret. indef.	futuro
agradezco	agradecía	agradecí	agradeceré
agradeces	agradecías	agradeciste	agradecerás
agradece	agradecía	agradeció	agradecerá
agradecemos	agradecíamos	agradecimos	agradeceremos
agradecéis	agradecíais	agradecisteis	agradeceréis
agradecen	agradecían	agradecieron	agradecerán

Subjuntivo

Imperativo

presente	imperfecto		condicional
agradezca	agradeciera (-se)	–	agradecería
agradezcas	agradecieras (-ses)	agradece (no agradezcas)	agradecerías
agradezca	agradeciera (-se)	agradezca Vd.	agradecería
agradezcamos	agradeciéramos (-semos)	agradezcamos	agradeceríamos
agradezcáis	agradecierais (-seis)	agradeced (no agradezcáis)	agradeceríais
agradezcan	agradecieran (-sen)	agradezcan Vds.	agradecerían

infinitivo: agradecer   **gerundio:** agradeciendo   **participio:** agradecido

aparecer *pojawiać się*

Głoska tematyczna **c** przechodzi przed **a** i **o** w **zc**.

Indicativo

presente	imperfecto	pret. indef.	futuro
aparezco	aparecía	aparecí	apareceré
apareces	aparecías	apareciste	aparecerás
aparece	aparecía	apareció	aparecerá
aparecemos	aparecíamos	aparecimos	apareceremos
aparecéis	aparecíais	aparecisteis	apareceréis
aparecen	aparecían	aparecieron	aparecerán

Subjuntivo

Imperativo

presente	imperfecto		condicional
aparezca	apareciera (-se)	–	aparecería
aparezcas	aparecieras (-ses)	aparece (no aparezcas)	aparecerías
aparezca	apareciera (-se)	aparezca Vd.	aparecería
aparezcamos	apareciéramos (-semos)	aparezcamos	apareceríamos
aparezcáis	aparecierais (-seis)	apareced (no aparezcáis)	apareceríais
aparezcan	aparecieran (-sen)	aparezcan Vds.	aparecerían

infinitivo: aparecer   **gerundio:** apareciendo   **participio:** aparecido

Druga koniugacja

ascender wspinać się, awansować

Akcentowane **e** w temacie przechodzi w **ie**.

Indicativo

presente	imperfecto	pret. indef.	futuro
asciendo	ascendía	ascendí	ascenderé
asciendes	ascendías	ascendiste	ascenderás
asciende	ascendía	ascendió	ascenderá
ascendemos	ascendíamos	ascendimos	ascenderemos
ascendéis	ascendíais	ascendisteis	ascenderéis
ascienden	ascendían	ascendieron	ascenderán

Subjuntivo

Imperativo

presente	imperfecto		condicional
ascienda	ascendiera (-se)	–	ascendería
asciendas	ascendieras (-ses)	asciende (no asciendas)	ascenderías
ascienda	ascendiera (-se)	ascienda Vd.	ascendería
ascendamos	ascendiéramos (-semos)	ascendamos	ascenderíamos
ascendáis	ascendierais (-seis)	ascended (no ascendáis)	ascenderíais
asciendan	ascendieran (-sen)	asciendan Vds.	ascenderían

infinitivo: ascender **gerundio:** ascendiendo **participio:** ascendido

atender uważać, uważnie słuchać

Akcentowane **e** w temacie przechodzi w **ie**.

Indicativo

presente	imperfecto	pret. indef.	futuro
atiendo	atendía	atendí	atenderé
atiendes	atendías	atendiste	atenderás
atiende	atendía	atendió	atenderá
atendemos	atendíamos	atendimos	atenderemos
atendéis	atendíais	atendisteis	atenderéis
atienden	atendían	atendieron	atenderán

Subjuntivo

Imperativo

presente	imperfecto		condicional
atienda	atendiera (-se)	–	atendería
atiendas	atendieras (-ses)	atiende (no atiendas)	atenderías
atienda	atendiera (-se)	atienda Vd.	atendería
atendamos	atendiéramos (-semos)	atendamos	atenderíamos
atendáis	atendierais (-seis)	atended (no atendáis)	atenderíais
atiendan	atendieran (-sen)	atiendan Vds.	atenderían

infinitivo: atender **gerundio:** atendiendo **participio:** atendido

atraer *przyciągać, ściągać uwagę*

Indicativo

presente	imperfecto	pret. indef.	futuro
atraigo	atraía	atraje	atraeré
atraes	atraías	atrajiste	atraerás
atrae	atraía	atrajo	atraerá
atraemos	atraíamos	atrajimos	atraeremos
atraéis	atraíais	atrajisteis	atraeréis
atraen	atraían	atrajeron	atraerán

Subjuntivo

Imperativo

presente	imperfecto		condicional
atraiga	atrajera (-se)	–	atraería
atraigas	atrajeras (-ses)	atrae (no atraigas)	atraerías
atraiga	atrajera (-se)	atraiga Vd.	atraería
atraigamos	atrajéramos (-semos)	atraigamos	atraeríamos
atraigáis	atrajerais (-seis)	atraed (no atraigáis)	atraeríais
atraigan	atrajeran (-sen)	atraigan Vds.	atraerían

infinitivo: atraer   **gerundio:** atrayendo   **participio:** atraído

caber *mieścić się*

Indicativo

presente	imperfecto	pret. indef.	futuro
quepo	cabía	cupe	cabré
cabes	cabías	cupiste	cabrás
cabe	cabía	cupo	cabrá
cabemos	cabíamos	cupimos	cabremos
cabéis	cabíais	cupisteis	cabréis
caben	cabían	cupieron	cabrán

Subjuntivo

Imperativo

presente	imperfecto		condicional
quepa	cupiera (-se)	–	cabría
quepas	cupieras (-ses)	cabe (no quepas)	cabrías
quepa	cupiera (-se)	quepa Vd.	cabría
quepamos	cupiéramos (-semos)	quepamos	cabríamos
quepáis	cupierais (-seis)	cabed (no quepáis)	cabríais
quepan	cupieran (-sen)	quepan Vds.	cabrían

infinitivo: caber   **gerundio:** cabiendo   **participio:** cabido

Druga koniugacja

caer *upadać*

Indicativo

presente	imperfecto	pret. indef.	futuro
caigo	caía	caí	caeré
caes	caías	caíste	caerás
cae	caía	cayó	caerá
caemos	caíamos	caímos	caeremos
caéis	caíais	caísteis	caeréis
caen	caían	cayeron	caerán

Subjuntivo

Imperativo

presente	imperfecto		condicional
caiga	cayera (-se)	–	caería
caigas	cayeras (-ses)	cae (no caigas)	caerías
caiga	cayera (-se)	caiga Vd.	caería
caigamos	cayéramos (-semos)	caigamos	caeríamos
caigáis	cayerais (-seis)	caed (no caigáis)	caeríais
caigan	cayeran (-sen)	caigan Vds.	caerían

infinitivo: caer **gerundio:** cayendo **participio:** caído

carecer *nie mieć*

ale również: być pozbawionym czegoś
Głoska tematyczna **c** przechodzi przed **a** i **o** w **zc**.

Indicativo

presente	imperfecto	pret. indef.	futuro
carezco	carecía	carecí	careceré
careces	carecías	careciste	carecerás
carece	carecía	careció	carecerá
carecemos	carecíamos	carecimos	careceremos
carecéis	carecíais	carecisteis	careceréis
carecen	carecían	carecieron	carecerán

Subjuntivo

Imperativo

presente	imperfecto		condicional
carezca	careciera (-se)	–	carecería
carezcas	carecieras (-ses)	carece (no carezcas)	carecerías
carezca	careciera (-se)	carezca Vd.	carecería
carezcamos	careciéramos (-semos)	carezcamos	careceríamos
carezcáis	carecierais (-seis)	careced (no carezcáis)	careceríais
carezcan	carecieran (-sen)	carezcan Vds.	carecerían

infinitivo: carecer **gerundio:** careciendo **participio:** carecido

cerner *przesiewać przez sito*

Akcentowane **e** w temacie przechodzi w **ie**.

Indicativo

presente	imperfecto	pret. indef.	futuro
cierno	cernía	cerní	cerneré
ciernes	cernías	cerniste	cernerás
cierne	cernía	cernió	cernerá
cernemos	cerníamos	cernimos	cerneremos
cernéis	cerníais	cernisteis	cerneréis
ciernen	cernían	cernieron	cernerán

Subjuntivo   Imperativo

presente	imperfecto		condicional
cierna	cerniera (-se)	–	cernería
ciernas	cernieras (-ses)	cierne (no ciernas)	cernerías
cierna	cerniera (-se)	cierna Vd.	cernería
cernamos	cerniéramos (-semos)	cernamos	cerneríamos
cernáis	cernierais (-seis)	cerned (no cernáis)	cerneríais
ciernan	cernieran (-sen)	ciernan Vds.	cernerían

infinitivo: cerner   **gerundio:** cerniendo   **participio:** cernido

cocer *gotować, piec, wrzeć*

Akcentowane **o** w temacie przechodzi w **ue**; **c** przed **o** i **a** zmienia się w **z**.

Indicativo

presente	imperfecto	pret. indef.	futuro
cuezo	cocía	cocí	coceré
cueces	cocías	cociste	cocerás
cuece	cocía	coció	cocerá
cocemos	cocíamos	cocimos	coceremos
cocéis	cocíais	cocisteis	coceréis
cuecen	cocían	cocieron	cocerán

Subjuntivo   Imperativo

presente	imperfecto		condicional
cueza	cociera (-se)	–	cocería
cuezas	cocieras (-ses)	cuece (no cuezas)	cocerías
cueza	cociera (-se)	cueza Vd.	cocerías
cozamos	cociéramos (-semos)	cozamos	coceríamos
cozáis	cocierais (-seis)	coced (no cozáis)	coceríais
cuezan	cocieran (-sen)	cuezan Vds.	cocerían

infinitivo: cocer   **gerundio:** cociendo   **participio:** cocido

Druga koniugacja

coger brać, chwytać

Głoska tematyczna **g** przechodzi przed **a** i **o** w **j**.

Indicativo

presente	imperfecto	pret. indef.	futuro
cojo	cogía	cogí	cogeré
coges	cogías	cogiste	cogerás
coge	cogía	cogió	cogerá
cogemos	cogíamos	cogimos	cogeremos
cogéis	cogíais	cogisteis	cogeréis
cogen	cogían	cogieron	cogerán

Subjuntivo

Imperativo

presente	imperfecto		condicional
coja	cogiera (-se)	–	cogería
cojas	cogieras (-ses)	coge (no cojas)	cogerías
coja	cogiera (-se)	coja Vd.	cogería
cojamos	cogiéramos (-semos)	cojamos	cogeríamos
cojáis	cogierais (-seis)	coged (no cojáis)	cogeríais
cojan	cogieran (-sen)	cojan Vds.	cogerían

infinitivo: coger   **gerundio:** cogiendo   **participio:** cogido

compadecer współczuć, litować się

Głoska tematyczna **c** przechodzi przed **a** i **o** w **zc**.

Indicativo

presente	imperfecto	pret. indef.	futuro
compadezco	compadecía	compadecí	compadeceré
compadeces	compadecías	compadeciste	compadecerás
compadece	compadecía	compadeció	compadecerá
compadecemos	compadecíamos	compadecimos	compadeceremos
compadecéis	compadecíais	compadecisteis	compadeceréis
compadecen	compadecían	compadecieron	compadecerán

Subjuntivo

Imperativo

presente	imperfecto		condicional
compadezca	compadeciera (-se)	–	compadecería
compadezcas	compadecieras (-ses)	compadece (no compadezcas)	compadecerías
compadezca	compadeciera (-se)	compadezca Vd.	compadecería
compadezcamos	compadeciéramos (-semos)	compadezcamos	compadeceríamos
compadezcáis	compadecierais (-seis)	compadeced (no compadezcáis)	compadeceríais
compadezcan	compadecieran (-sen)	compadezcan Vds.	compadecerían

infinitivo: compadecer   **gerundio:** compadeciendo   **participio:** compadecido

conocer znać, poznawać

Głoska tematyczna **c** przechodzi przed **a** i **o** w **zc**.

Indicativo

presente	imperfecto	pret. indef.	futuro
conozco	conocía	conocí	conoceré
conoces	conocías	conociste	conocerás
conoce	conocía	conoció	conocerá
conocemos	conocíamos	conocimos	conoceremos
conocéis	conocíais	conocisteis	conoceréis
conocen	conocían	conocieron	conocerán

Subjuntivo

Imperativo

presente	imperfecto		condicional
conozca	conociera (-se)	–	conocería
conozcas	conocieras (-ses)	conoce (no conozcas)	conocerías
conozca	conociera (-se)	conozca Vd.	conocería
conozcamos	conociéramos (-semos)	conozcamos	conoceríamos
conozcáis	conocierais (-seis)	conoced (no conozcáis)	conoceríais
conozcan	conocieran (-sen)	conozcan Vds.	conocerían

infinitivo: conocer **gerundio:** conociendo **participio:** conocido

convencer przekonywać

Tematyczna głoska **c** przed **a** i **o** zmienia się w **z**; drugi, nieregularny imiesłów używany jest wyłącznie w znaczeniu przymiotnikowym.

Indicativo

presente	imperfecto	pret. indef.	futuro
convenzo	convencía	convencí	convenceré
connvences	convencías	convenciste	convencerás
convence	convencía	convenció	convencerá
convencemos	convencíamos	convencimos	convenceremos
convencéis	convencíais	convencisteis	convenceréis
convencen	convencían	convencieron	convencerán

Subjuntivo

Imperativo

presente	imperfecto		condicional
convenza	convenciera (-se)	–	convencería
convenzas	convencieras (-ses)	convence (no convenzas)	convencerías
convenza	convenciera (-se)	convenza Vd.	convencería
convenzamos	convenciéramos (-semos)	convenzamos	convenceríamos
convenzáis	convencierais (-seis)	convenced (no convenzais)	convenceríais
convenzan	convencieran (-sen)	convenzan Vds.	convencerían

infinitivo: convencer **gerundio:** convenciendo **participio:** convencido, convicto

Druga koniugacja

converger zbiegać się w jednym punkcie

Chociaż istnieje też forma *convergir*, częściej używana jest odmiana w drugiej koniugacji; obie formy są dopuszczalne (zob. też *convergir*); tematyczne **g** przed **a** i **o** zmienia się w **j**.

Indicativo

presente	imperfecto	pret. indef.	futuro
converjo	convergía	convergí	convergeré
converges	convergías	convergiste	convergerás
converge	convergía	convergió	convergerá
convergemos	convergíamos	convergimos	convergeremos
convergéis	convergíais	convergisteis	convergeréis
convergen	convergían	convergieron	convergerán

Subjuntivo

Imperativo

presente	imperfecto		condicional
converja	convergiera (-se)	–	convergería
converjas	convergieras (-ses)	converge (no converjas)	convergerías
converja	convergiera (-se)	converja Vd.	convergería
converjamos	convergiéramos (-semos)	converjamos	convergeríamos
converjáis	convergierais (-seis)	converged (no converjáis)	convergeríais
converjan	convergieran (-sen)	converjan Vds.	convergerían

infinitivo: converger **gerundio:** convergiendo **participio:** convergido

corromper psuć się, gnić, korumpować

Drugi, nieregularny imiesłów używany jest tylko w znaczeniu przymiotnikowym.

Indicativo

presente	imperfecto	pret. indef.	futuro
corrompo	corrompía	corrompí	corromperé
corrompes	corrompías	corrompiste	corromperás
corrompe	corrompía	corrompió	corromperá
corrompemos	corrompíamos	corrompimos	corromperemos
corrompéis	corrompíais	corrompisteis	corromperéis
corrompen	corrompían	corrompieron	corromperán

Subjuntivo

Imperativo

presente	imperfecto		condicional
corrompa	corrompiera (-se)	–	corrompería
corrompas	corrompieras (-ses)	corrompe (no corrompas)	corromperías
corrompa	corrompiera (-se)	corrompa Vd.	corrompería
corrompamos	corrompiéramos (-semos)	corrompamos	corromperíamos
corrompáis	corrompierais (-seis)	corromped (no corrompáis)	corromperíais
corrompan	corrompieran (-sen)	corrompan Vds.	corromperían

infinitivo: corromper **gerundio:** corrompiendo **participio:** corrompido, corrupto

66

coser *szyć*

Czasownik regularny – w odróżnieniu od *cocer.*

Indicativo

presente	imperfecto	pret. indef.	futuro
coso	cosía	cosí	coseré
coses	cosías	cosiste	coserás
cose	cosía	cosió	coserá
cosemos	cosíamos	cosimos	coseremos
coséis	cosíais	cosisteis	coseréis
cosen	cosían	cosieron	coserán

Subjuntivo

Imperativo

presente	imperfecto		condicional
cosa	cosiera (-se)	–	cosería
cosas	cosieras (-ses)	cose (no cosas)	coserías
cosa	cosiera (-se)	cosa Vd.	cosería
cosamos	cosiéramos (-semos)	cosamos	coseríamos
cosáis	cosierais (-seis)	cosed (no cosáis)	coseríais
cosan	cosieran (-sen)	cosan Vds.	coserían

infinitivo: coser   **gerundio:** cosiendo   **participio:** cosido

crecer *rosnąć*

Głoska tematyczna c przechodzi przed a i o w zc.

Indicativo

presente	imperfecto	pret. indef.	futuro
crezco	crecía	crecí	creceré
creces	crecías	creciste	crecerás
crece	crecía	creció	crecerá
crecemos	crecíamos	crecimos	creceremos
crecéis	crecíais	crecisteis	creceréis
crecen	crecían	crecieron	crecerán

Subjuntivo

Imperativo

presente	imperfecto		condicional
crezca	creciera (-se)	–	crecería
crezcas	crecieras (-ses)	crece (no crezcas)	crecerías
crezca	creciera (-se)	crezca Vd.	crecería
crezcamos	creciéramos (-semos)	crezcamos	creceríamos
crezcáis	crecierais (-seis)	creced (no crezcáis)	creceríais
crezcan	crecieran (-sen)	crezcan Vds.	crecerían

infinitivo: crecer   **gerundio:** creciendo   **participio:** crecido

Druga koniugacja

Nieakcentowane **i** między dwiema samogłoskami przechodzi w **y**.

Indicativo

presente	imperfecto	pret. indef.	futuro
creo	creía	creí	creeré
crees	creías	creíste	creerás
cree	creía	creyó	creerá
creemos	creíamos	creímos	creeremos
creéis	creíais	creísteis	creeréis
creen	creían	creyeron	creerán

Subjuntivo

Imperativo

presente	imperfecto		condicional
crea	creyera (-se)	–	creería
creas	creyeras (-ses)	cree (no creas)	creerías
crea	creyera (-se)	crea Vd.	creería
creamos	creyéramos (-semos)	creamos	creeríamos
creáis	creyerais (-seis)	creed (no creáis)	creeríais
crean	creyeran (-sen)	crean Vds.	creerían

infinitivo: creer **gerundio:** creyendo **participio:** creído

Akcentowane **e** w temacie przechodzi w **ie**.

Indicativo

presente	imperfecto	pret. indef.	futuro
defiendo	defendía	defendí	defenderé
defiendes	defendías	defendiste	defenderás
defiende	defendía	defendió	defenderá
defendemos	defendíamos	defendimos	defenderemos
defendéis	defendíais	defendisteis	defenderéis
defienden	defendían	defendieron	defenderán

Subjuntivo

Imperativo

presente	imperfecto		condicional
defienda	defendiera (-se)	–	defendería
defiendas	defendieras (-ses)	defiende (no defiendas)	defenderías
defienda	defendiera (-se)	defienda Vd.	defendería
defendamos	defendiéramos (-semos)	defendamos	defenderíamos
defendáis	defendierais (-seis)	defended (no defendáis)	defenderíais
defiendan	defendieran (-sen)	defiendan Vds.	defenderían

infinitivo: defender **gerundio:** defendiendo **participio:** defendido

devolver **zwracać, oddawać**

Akcentowane **o** w temacie przechodzi w **ue**; nieregularny imiesłów.

Indicativo

presente	imperfecto	pret. indef.	futuro
devuelvo	devolvía	devolví	devolveré
devuelves	devolvías	devolviste	devolverás
devuelve	devolvía	devolvió	devolverá
devolvemos	devolvíamos	devolvimos	devolveremos
devolvéis	devolvíais	devolvisteis	devolveréis
devuelven	devolvían	devolvieron	devolverán

Subjuntivo   Imperativo

presente	imperfecto		condicional
devuelva	devolviera (-se)	–	devolvería
devuelvas	devolvieras (-ses)	devuelve (no devuelvas)	devolverías
devuelva	devolviera (-se)	devuelva Vd.	devolvería
devolvamos	devolviéramos (-semos)	devolvamos	devolveríamos
devolváis	devolvierais (-seis)	devolved (no devolváis)	devolveríais
devuelvan	devolvieran (-sen)	devuelvan Vds.	devolverían

infinitivo: devolver   **gerundio:** devolviendo   **participio:** devuelto

disponer **dysponować**

Indicativo

presente	imperfecto	pret. indef.	futuro
dispongo	disponía	dispuse	dispondré
despones	disponías	dispusiste	dispondrás
dispone	disponía	dispuso	dispondrá
disponemos	disponíamos	dispusimos	dispondremos
desponéis	disponíais	dispusisteis	dispondréis
disponen	disponían	dispusieron	dispondrán

Subjuntivo   Imperativo

presente	imperfecto		condicional
disponga	dispusiera (-se)	–	dispondría
dispongas	dispusieras (-ses)	dispone (no dispongas)	dispondrías
disponga	dispusiera (-se)	disponga Vd.	dispondría
dispongamos	dispusiéramos (-semos)	dispongamos	dispondríamos
dispongáis	dispusierais (-seis)	disponed (no dispongáis)	dispondríais
dispongan	dispusieran (-sen)	dispongan Vds.	dispondrían

infinitivo: disponer   **gerundio:** disponiendo   **participio:** dispuesto

Druga koniugacja

doler *boleć, ubolewać*

Akcentowane **o** w temacie przechodzi w **ue**.

Indicativo

presente	imperfecto	pret. indef.	futuro
duelo	dolía	dolí	doleré
dueles	dolías	doliste	dolerás
duele	dolía	dolió	dolerá
dolemos	dolíamos	dolimos	doleremos
doléis	dolíais	dolisteis	doleréis
duelen	dolían	dolieron	dolerán

Subjuntivo

Imperativo

presente	imperfecto		condicional
duela	doliera (-se)	–	dolería
duelas	dolieras (-ses)	duele (no duelas)	dolerías
duela	doliera (-se)	duela Vd.	dolería
dolamos	doliéramos (-semos)	dolamos	doleríamos
doláis	dolierais (-seis)	doled (no doláis)	doleríais
duelan	dolieran (-sen)	duelan Vds.	dolerían

infinitivo: doler   **gerundio:** doliendo   **participio:** dolido

emerger *wynurzać się*

Głoska tematyczna **g** przed **a** i **o** zmienia się w **j**.

Indicativo

presente	imperfecto	pret. indef.	futuro
emerjo	emergía	emergí	emergeré
emerges	emergías	emergiste	emergerás
emerge	emergía	emergió	emergerá
emergemos	emergíamos	emergimos	emergeremos
emergéis	emergíais	emergisteis	emergeréis
emergen	emergían	emergieron	emergerán

Subjuntivo

Imperativo

presente	imperfecto		condicional
emerja	emergiera (-se)	–	emergería
emerjas	emergieras (-ses)	emerge (no emerjas)	emergerías
emerja	emergiera (-se)	emerja Vd.	emergería
emerjamos	emergiéramos (-semos)	emerjamos	emergeríamos
emerjáis	emergierais (-seis)	emerged (no emerjáis)	emergeríais
emerjan	emergieran (-sen)	emerjan Vds.	emergerían

infinitivo: emerger   **gerundio:** emergiendo   **participio:** emergido

70

encender *zapalić, włączyć*

Akcentowane **e** w temacie przechodzi w **ie**.

Indicativo

presente	imperfecto	pret. indef.	futuro
enciendo	encendía	encendí	encenderé
enciendes	encendías	encendiste	encenderás
enciende	encendía	encendió	encenderá
encendemos	encendíamos	encendimos	encenderemos
encendéis	encendíais	encendisteis	encenderéis
encienden	encendían	encendieron	encenderán

Subjuntivo

Imperativo

presente	imperfecto		condicional
encienda	encendiera (-se)	–	encendería
enciendas	encendieras (-sed)	enciende (no enciendas)	encenderías
encienda	encendiera (-se)	encienda Vd.	encendería
encendamos	encendiéramos (-semos)	encendamos	encenderíamos
encendáis	encendierais (-seis)	encended (no encendáis)	encenderíais
enciendan	encendieran (-sen)	enciendan Vds.	encenderían

infinitivo: encender   **gerundio:** encendiendo   **participio:** encendido

endurecer *czynić twardym*

Głoska tematyczna **c** przechodzi przed **a** i **o** w **zc**.

Indicativo

presente	imperfecto	pret. indef.	futuro
endurezco	endurecía	endurecí	endureceré
endureces	endurecías	endureciste	endurecerás
endurece	endurecía	endureció	endurecerá
endurecemos	endurecíamos	endurecimos	endureceremos
endurecéis	endurecíais	endurecisteis	endureceréis
endurecen	endurecían	endurecieron	endurecerán

Subjuntivo

Imperativo

presente	imperfecto		condicional
endurezca	endureciera (-se)	–	endurecería
endurezcas	endurecieras (-ses)	endurece (no edurezcas)	endurecerías
endurezca	endureciera (-se)	endurezca Vd.	endurecería
endurezcamos	endureciéramos (-semos)	endurezcamos	endureceríamos
endurezcáis	endurecierais (-seis)	endureced (no edurezcáis)	endureceríais
endurezcan	endurecieran (-sen)	endurezcan Vds.	endurecerían

infinitivo: endurecer   **gerundio:** endureciendo   **participio:** endurecido

Druga koniugacja

escoger **wybierać**

Głoska tematyczna **g** przed **a** i **o** zmienia się w **j**.

Indicativo

presente	imperfecto	pret. indef.	futuro
escojo	escogía	escogí	escogeré
escoges	escogías	escogiste	escogerás
escoge	escogía	escogió	escogerá
escogemos	escogíamos	escogimos	escogeremos
escogéis	escogíais	escogisteis	escogeréis
escogen	escogían	escogieron	escogerán

Subjuntivo

Imperativo

presente	imperfecto		condicional
escoja	escogiera (-se)	–	escogería
escojas	escogieras (-ses)	escoge (no escojas)	escogerías
escoja	escogiera (-se)	escoja Vd.	escogería
escojamos	escogiéramos (-semos)	escojamos	escogeríamos
escojáis	escogierais (-seis)	escoged (no escojáis)	escogeríais
escojan	escogieran (-sen)	escojan Vds.	escogerían

infinitivo: escoger **gerundio:** escogiendo **participio:** escogido

hacer **robić**

Indicativo

presente	imperfecto	pret. indef.	futuro
hago	hacía	hice	haré
haces	hacías	hiciste	harás
hace	hacía	hizo	hará
hacemos	hacíamos	hicimos	haremos
hacéis	hacíais	hicisteis	haréis
hacen	hacían	hicieron	harán

Subjuntivo

Imperativo

presente	imperfecto		condicional
haga	hiciera (-se)	–	haría
hagas	hicieras (-ses)	haz (no hagas)	harías
haga	hiciera (-se)	haga Vd.	haría
hagamos	hiciéramos (-semos)	hagamos	haríamos
hagáis	hicierais (-seis)	haced (no hagáis)	haríais
hagan	hicieran (-sen)	hagan Vds.	harían

infinitivo: hacer **gerundio:** haciendo **participio:** hecho

leer *czytać*

Nieakcentowane **i** pomiędzy dwiema samogłoskami przechodzi w **y**;
w *preterito indefinido* oraz w *participio* akcentowane **i** w końcówce poprzedzone
samogłoską tematyczną **e** nosi akcent graficzny.

Indicativo

presente	imperfecto	pret. indef.	futuro
leo	leía	leí	leeré
lees	leías	leíste	leerás
lee	leía	leyó	leerá
leemos	leíamos	leímos	leeremos
leéis	leíais	leísteis	leeréis
leen	leían	leyeron	leerán

Subjuntivo

Imperativo

presente	imperfecto		condicional
lea	leyera (-se)	–	leería
leas	leyeras (-ses)	lee (no leas)	leerías
lea	leyera (-se)	lea Vd.	leería
leamos	leyéramos (-semos)	leamos	leeríamos
leáis	leyerais (-seis)	leed (no leáis)	leeríais
lean	leyeran (-sen)	lean Vds.	leerían

infinitivo: leer **gerundio:** leyendo **participio:** leído

mantener *utrzymywać, trzymać*

Indicativo

presente	imperfecto	pret. indef.	futuro
mantengo	mantenía	mantuve	mantendré
mantienes	mantenías	mantuviste	mantendrás
mantiene	mantenía	mantuvo	mantendrá
mantenemos	manteníamos	mantuvimos	mantendremos
mantenéis	manteníais	mantuvisteis	mantendréis
mantienen	mantenían	mantuvieron	mantendrán

Subjuntivo

Imperativo

presente	imperfecto		condicional
mantenga	mantuviera (-se)	–	mantendría
mantengas	mantuvieras (-ses)	mantiene (no mantengas)	mantendrías
mantenga	mantuviera (-se)	mantenga Vd.	mantendría
mantengamos	mantuviéramos (-semos)	mantengamos	mantendríamos
mantengáis	mantuvierais (-seis)	mantened (no mantengáis)	mantendríais
mantengan	mantuvieran (-sen)	mantengan Vds.	mantendrían

infinitivo: mantener **gerundio:** manteniendo **participio:** mantenido

Druga koniugacja

mecer kołysać

Głoska tematyczna **c** przed **a** i **o** zmienia się w **z**.

Indicativo

presente	imperfecto	pret. indef.	futuro
mezo	mecía	mecí	meceré
meces	mecías	meciste	mecerás
mece	mecía	meció	mecerá
mecemos	mecíamos	mecimos	meceremos
mecéis	mecíais	mecisteis	meceréis
mecen	mecían	mecieron	mecerán

Subjuntivo

Imperativo

presente	imperfecto		condicional
meza	meciera (-se)	–	mecería
mezas	mecieras (-ses)	mece (no mezas)	mecerías
meza	meciera (-se)	meza Vd.	mecería
mezamos	meciéramos (-semos)	mezamos	meceríamos
mezáis	mecierais (-seis)	meced (no mezáis)	meceríais
mezan	mecieran (-sen)	mezan Vds.	mecerían

infinitivo: mecer **gerundio:** meciendo **participio:** mecido

merecer zasługiwać

Głoska tematyczna **c** przechodzi przed **a** i **o** w **zc**.

Indicativo

presente	imperfecto	pret. indef.	futuro
merezco	merecía	merecí	mereceré
mereces	merecías	mereciste	merecerás
merece	merecía	mereció	merecerá
merecemos	merecíamos	merecimos	mereceremos
merecéis	merecíais	merecisteis	mereceréis
merecen	merecían	merecieron	merecerán

Subjuntivo

Imperativo

presente	imperfecto		condicional
merezca	mereciera (-se)	–	merecería
merezcas	merecieras (-ses)	merece (no merezcas)	merecerías
merezca	mereciera (-se)	merezca Vd.	merecería
merezcamos	mereciéramos (-semos)	merezcamos	mereceríamos
merezcáis	merecierais (-seis)	mereced (no merezcáis)	mereceríais
merezcan	merecieran (-sen)	merezcan Vds.	merecerían

infinitivo: merecer **gerundio:** mereciendo **participio:** merecido

morder *gryźć*

Akcentowane **o** w temacie przechodzi w **ue**.

Indicativo

presente	imperfecto	pret. indef.	futuro
muerdo	mordía	mordí	morderé
muerdes	mordías	mordiste	morderás
muerde	mordía	mordió	morderá
mordemos	mordíamos	mordimos	morderemos
mordéis	mordíais	mordisteis	morderéis
muerden	mordían	mordieron	morderán

Subjuntivo / Imperativo

presente	imperfecto	Imperativo	condicional
muerda	mordiera (-se)	–	mordería
muerdas	mordieras (-ses)	muerde (no muerdas)	morderías
muerda	mordiera (-se)	muerda Vd.	mordería
mordamos	mordiéramos (-semos)	mordamos	morderíamos
mordáis	mordierais (-seis)	morded (no mordáis)	morderíais
muerdan	mordieran (-sen)	muerdan Vds.	morderían

infinitivo: morder   **gerundio:** mordiendo   **participio:** mordido

mover *(po)ruszać*

Akcentowane **o** w temacie przechodzi w **ue**.

Indicativo

presente	imperfecto	pret. indef.	futuro
muevo	movía	moví	moveré
mueves	movías	moviste	moverás
mueve	movía	movió	moverá
movemos	movíamos	movimos	moveremos
movéis	movíais	movisteis	moveréis
mueven	movían	movieron	moverán

Subjuntivo / Imperativo

presente	imperfecto	Imperativo	condicional
mueva	moviera (-se)	–	movería
muevas	movieras (-ses)	mueve (no muevas)	moverías
mueva	moviera (-se)	mueva Vd.	movería
movamos	moviéramos (-semos)	movamos	moveríamos
mováis	movierais (-seis)	moved (no mováis)	moveríais
muevan	movieran (-sen)	muevan Vds.	moverían

infinitivo: mover   **gerundio:** moviendo   **participio:** movido

Druga koniugacja

nacer *rodzić się*

Głoska tematyczna **c** przed **a** i **o** przechodzi w **zc**.

Indicativo

presente	imperfecto	pret. indef.	futuro
nazco	nacía	nací	naceré
naces	nacías	naciste	nacerás
nace	nacía	nació	nacerá
nacemos	nacíamos	nacimos	naceremos
nacéis	nacíais	nacisteis	naceréis
nacen	nacían	nacieron	nacerán

Subjuntivo

Imperativo

presente	imperfecto		condicional
nazca	naciera (-se)	–	nacería
nazcas	nacieras (-ses)	nace (no nazcas)	nacerías
nazca	naciera (-se)	nazca Vd.	nacería
nazcamos	naciéramos (-semos)	nazcamos	naceríamos
nazcáis	nacierais (-seis)	naced (no nazcáis)	naceríais
nazcan	nacieran (-sen)	nazcan Vds.	nacerían

infinitivo: nacer   **gerundio:** naciendo   **participio:** nacido

oler *wąchać, pachnieć*

Akcentowane **o** na początku wyrazu przechodzi w **hue**.

Indicativo

presente	imperfecto	pret. indef.	futuro
huelo	olía	olí	oleré
hueles	olías	oliste	olerás
huele	olía	olió	olerá
olemos	olíamos	olimos	oleremos
oléis	olíais	olisteis	oleréis
huelen	olían	olieron	olerán

Subjuntivo

Imperativo

presente	imperfecto		condicional
huela	oliera (-se)	–	olería
huelas	olieras (ses)	huele (no huelas)	olerías
huela	oliera (-se)	huela Vd.	olería
olamos	oliéramos (-semos)	olamos	oleríamos
oláis	olierais (-seis)	oled (no oláis)	oleríais
huelan	olieran (-sen)	huelan Vds.	olerían

infinitivo: oler   **gerundio:** oliendo   **participio:** olido

Druga koniugacja

parecer wydawać się

Głoska tematyczna **c** przed **a** i **o** przechodzi w **zc**.

Indicativo

presente	imperfecto	pret. indef.	futuro
parezco	parecia	pareci	pareceré
pareces	parecías	pareciste	parecerás
parece	parecía	pareció	parecerá
parecemos	parecíamos	parecimos	pareceremos
parecéis	parecíais	parecisteis	pareceréis
parecen	parecían	parecieron	parecerán

Subjuntivo — Imperativo

presente	imperfecto		condicional
parezca	pareciera (-se)	–	parecería
parezcas	parecieras (-ses)	parece (no parezcas)	parecerías
parezca	pareciera (-se)	parezca Vd.	parecería
parezcamos	pareciéramos (-semos)	parezcamos	pareceríamos
parezcáis	parecierais (-seis)	pareced (no parezcáis)	pareceríais
parezcan	parecieran (-sen)	parezcan Vds.	parecerían

infinitivo: parecer   **gerundio:** pareciendo   **participio:** parecido

perder gubić, przegrywać

Akcentowane **e** w temacie przechodzi w **ie**.

Indicativo

presente	imperfecto	pret. indef.	futuro
pierdo	perdía	perdí	perderé
pierdes	perdías	perdiste	perderás
pierde	perdía	perdió	perderá
perdemos	perdíamos	perdimos	perderemos
perdéis	perdíais	perdisteis	perderéis
pierden	perdían	perdieron	perderán

Subjuntivo — Imperativo

presente	imperfecto		condicional
pierda	perdiera (-se)	–	perdería
pierdas	perdieras (-ses)	pierde (no pierdas)	perderías
pierda	perdiera (-se)	pierda Vd.	perdería
perdamos	perdiéramos (-semos)	perdamos	perderíamos
perdáis	perdierais (-seis)	perded (no perdáis)	perderíais
pierdan	perdieran (-sen)	pierdan Vds.	perderían

infinitivo: perder   **gerundio:** perdiendo   **participio:** perdido

Druga koniugacja

placer *podobać się*

Głoska tematyczna **c** przechodzi przed **a** i **o** w **zc**; spotyka się drugą formę odmiany
w 3 os. ze zmianą w temacie; uwaga! – czasownik używany prawie wyłącznie
w 3 os. czasu teraźniejszego i przeszłego.

Indicativo

presente	imperfecto	pret. indef.	futuro
plazco	placía	plací	placeré
places	placías	placiste	placerás
place	placía	plació, plugo	placerá
placemos	placíamos	placimos	placeremos
placéis	placíais	placisteis	placeréis
placen	placían	placieron, pluguieron	placerán

Subjuntivo | | Imperativo

presente	imperfecto		condicional
plazca	placiera (-se)	–	placería
plazcas	placieras (-ses)	place (no plazcas)	placerías
plazca, plegue, plega	placiera (-se), pluguiera (-se)	plazca Vd.	placería
plazcamos	placiéramos (-semos)	plazcamos	placeríamos
plazcáis	placierais (-seis)	placed (no plazcáis)	placeríais
plazcan	placieran (-sen)	plazcan Vds.	placerían

infinitivo: placer   **gerundio:** placiendo   **participio:** placido

poder *móc*

Indicativo

presente	imperfecto	pret. indef.	futuro
puedo	podía	pude	podré
puedes	podías	pudiste	podrás
puede	podía	pudo	podrá
podemos	podíamos	pudimos	podremos
podéis	podíais	pudisteis	podréis
pueden	podían	pudieron	podrán

Subjuntivo | | Imperativo

presente	imperfecto		condicional
pueda	pudiera (-se)	–	podría
puedas	pudieras (-ses)	puede (no puedas)	podrías
pueda	pudiera (-se)	pueda Vd.	podría
podamos	pudiéramos (-semos)	podamos	podríamos
podáis	pudierais (-seis)	poded (no podáis)	podríais
puedan	pudieran (-sen)	puedan Vds.	podrían

infinitivo: poder   **gerundio:** pudiendo   **participio:** podido

poner kłaść, stawiać

Indicativo

presente	imperfecto	pret. indef.	futuro
pongo	ponía	puse	pondré
pones	ponías	pusiste	pondrás
pone	ponía	puso	pondrá
ponemos	poníamos	pusimos	pondremos
ponéis	poníais	pusisteis	pondréis
ponen	ponían	pusieron	pondrán

Subjuntivo   **Imperativo**

presente	imperfecto		condicional
ponga	pusiera (-se)	–	pondría
pongas	pusieras (-ses)	pon (no pongas)	pondrías
ponga	pusiera (-se)	ponga Vd.	pondría
pongamos	pusiéramos (-semos)	pongamos	pondríamos
pongáis	pusierais (-seis)	poned (no pongáis)	pondríais
pongan	pusieran (-sen)	pongan Vds.	pondrían

infinitivo: poner   **gerundio:** poniendo   **participio:** puesto

poseer posiadać, władać

Nieakcentowane **i** pomiędzy dwiema samogłoskami przechodzi w **y**;
w *preterito indefinido* oraz w *participio* akcentowane **i** w końcówce poprzedzone
samogłoską tematyczną **e** nosi akcent graficzny; drugi imiesłów używany wyłącznie
w znaczeniu przymiotnikowym lub rzeczownikowym.

Indicativo

presente	imperfecto	pret. indef.	futuro
poseo	poseía	poseí	poseeré
posees	poseías	poseíste	poseerás
posee	poseía	poseyó	poseerá
poseemos	poseíamos	poseímos	poseeremos
poseéis	poseíais	poseístes	poseeréis
poseen	poseían	poseyeron	poseerán

Subjuntivo   **Imperativo**

presente	imperfecto		condicional
posea	poseyera (-se)	–	poseería
poseas	poseyeras (-ses)	posee (no poseas)	poseerías
posea	poseyera (-se)	posea Vd.	poseería
poseamos	poseyéramos (-semos)	poseamos	poseeríamos
poseáis	poseyerais (-seis)	poseed (no poseáis)	poseeríais
posean	poseyeran (-sen)	posean Vds.	poseerían

infinitivo: poseer   **gerundio:** poseyendo   **participio:** poseído lub poseso

Druga koniugacja

proponer *proponować*

Indicativo

presente	imperfecto	pret. indef.	futuro
propongo	proponía	propuse	propondré
propones	proponías	propusiste	propondrás
propone	proponía	propuso	propondrá
proponemos	proponíamos	propusimos	propondremos
proponéis	proponíais	propusisteis	propondréis
proponen	proponían	propusieron	propondrán

Subjuntivo

Imperativo

presente	imperfecto		condicional
proponga	propusiera (-se)	–	propondría
propongas	propusieras (-ses)	propone (no propongas)	propondrías
proponga	propusiera (-se)	proponga Vd.	propondría
propongamos	propusiéramos (-semos)	propongamos	propondríamos
propongáis	propusierais (-seis)	proponed (no propongáis)	propondríais
propongan	propusieran (-sen)	propongan Vds.	propondrían

infinitivo: proponer   **gerundio:** proponiendo   **participio:** propuesto

querer *chcieć*

Indicativo

presente	imperfecto	pret. indef.	futuro
quiero	quería	quise	querré
quieres	querías	quisiste	querrás
quiere	quería	quiso	querrá
queremos	queríamos	quisimos	querremos
queréis	queríais	quisisteis	querréis
quieren	querían	quisieron	querrán

Subjuntivo

Imperativo

presente	imperfecto		condicional
quiera	quisiera (-se)	–	querría
quieras	quisieras (-ses)	quiere (no quieras)	querrías
quiera	quisiera (-se)	quiera Vd.	querría
queramos	quisiéramos (-semos)	queramos	querríamos
queráis	quisierais (-seis)	quered (no queráis)	querríais
quieran	quisieran (-sen)	quieran Vds.	querrían

infinitivo: querer   **gerundio:** queriendo   **participio:** querido

raer skrobać, zeskrobywać

Dopuszcza się dwie (nawet trzy) formy odmiany w czasie teraźniejszym oraz w trybie rozkazującym; w *preterito indefinido* oraz w *participio* akcentowane **i** w końcówce poprzedzone samogłoską tematyczną **a** nosi akcent graficzny.

Indicativo

presente	imperfecto	pret. indef.	futuro
rao, raigo, rayo	raía	raí	raeré
raes	raías	raíste	raerás
rae	raía	rayó	raerá
raemos	raíamos	raímos	raeremos
raéis	raíais	raísteis	raeréis
raen	raían	rayeron	raerán

Subjuntivo

presente	imperfecto	Imperativo	condicional
raiga, raya	rayera (-se)	–	raería
raigas, rayas	rayeras (-ses)	rae (no raigas, no rayas)	raerías
raiga, raya	rayera (-se)	raiga Vd., raya Vd.	raería
raigamos, rayamos	rayéramos (-semos)	raigamos, rayamos	raeríamos
raigáis, rayáis	rayerais (-seis)	raed (no raigáis. no rayáis)	raeríais
raigan, rayan	rayeran (-sen)	raigan Vds., rayan Vds.	raerían

infinitivo: raer **gerundio:** rayendo **participio:** raído

reponer wymieniać; odpowiadać

W znaczeniu „odpowiadać" używany tylko w *pretérito indefenido indicativo* i *pretérito imperfecto subjuntivo*.

Indicativo

presente	imperfecto	pret. indef.	futuro
repongo	reponía	repuse	repondré
repones	reponías	repusiste	repondrás
repone	reponía	repuso	repondrá
reponemos	reponíamos	repusimos	repondremos
reponéis	reponíais	repusisteis	repondréis
reponen	reponían	repusieron	repondrán

Subjuntivo

presente	imperfecto	Imperativo	condicional
reponga	repusiera (-se)	–	repondría
repongas	repusieras (-ses)	repón (no repongas)	repondrías
reponga	repusiera (-se)	reponga Vd.	repondría
repongamos	repusiéramos (-semos)	repongamos	repondríamos
repongáis	repusierais (-seis)	reponed (no repongáis)	repondríais
repongan	repusieran (-sen)	repongan Vds.	repondrían

infinitivo: reponer **gerundio:** reponiendo **participio:** repuesto

Druga koniugacja

resolver *rozwiązywać, postanawiać*

Akcentowane **o** w temacie przechodzi w **ue**; nieregularny imiesłów.

Indicativo

presente	imperfecto	pret. indef.	futuro
resuelvo	resolvía	resolví	resolveré
resuelves	resolvías	resolviste	resolverás
resuelve	resolvía	resolvió	resolverá
resolvemos	resolvíamos	resolvimos	resolveremos
resolvéis	resolvíais	resolvisteis	resolveréis
resuelven	resolvían	resolvieron	resolverán

Subjuntivo

Imperativo

presente	imperfecto		condicional
resuelva	resolviera (-se)	–	resolvería
resuelvas	resolvieras (-ses)	resuelve (no resuelvas)	resolverías
resuelva	resolviera (-se)	resuelva Vd.	resolvería
resolvamos	resolviéramos (-semos)	resolvamos	resolveríamos
resolváis	resolvierais (-seis)	resolved (no resolváis)	resolveríais
resuelvan	resolvieran (-sen)	resuelvan Vds.	resolverían

infinitivo: resolver   **gerundio:** resolviendo   **participio:** resuelto

roer *gryźć, obgryzać*

Dopuszcza się trzy formy odmiany w czasie teraźniejszym oraz w trybie rozkazującym; nieakcentowane **i** pomiędzy dwiema samogłoskami przechodzi w **y**; w *preterito indefinido* oraz w *participio* akcentowane **i** w końcówce poprzedzone samogłoską tematyczną **o** nosi akcent graficzny.

Indicativo

presente	imperfecto	pret. indef.	futuro
roo, roigo, royo	roía	roí	roeré
roes	roías	roíste	roerás
roe	roía	royó	roerá
roemos	roíamos	roímos	roeremos
roéis	roíais	roísteis	roeréis
roen	roían	royeron	roerán

Subjuntivo

Imperativo

presente	imperfecto		condicional
roa, roiga, roya	royera (-se)	–	roería
roas, roigas, royas	royeras (-ses)	roe (no roas, no roigas, no royas)	roerías
roa, roiga, roya	royera (-se)	roa Vd., roiga Vd., roya Vd.	roería
roamos, roigamos, royamos	royéramos (-semos)	roamos, roigamos, royamos	roeríamos
roáis, roigáis, royáis	royerais (-seis)	roed (no roáis, no roigáis, no royáis)	roeríais
roan, roigan, royan	royeran (-sen)	roan, roigan, royan	roerían

infinitivo: roer   **gerundio:** royendo   **participio:** roído

romper *tłuc, łamać, niszczyć*

Nieregularny imiesłów.

Indicativo

presente	imperfecto	pret. indef.	futuro
rompo	rompía	rompí	romperé
rompes	rompías	rompiste	romperás
rompe	rompía	rompió	romperá
rompemos	rompíamos	rompimos	romperemos
rompéis	rompíais	rompisteis	romperéis
rompen	rompían	rompieron	romperán

Subjuntivo

Imperativo

presente	imperfecto		condicional
rompa	rompiera (-se)	–	rompería
rompas	rompieras (-ses)	rompe (no rompas)	romperías
rompa	rompiera (-se)	rompa Vd.	rompería
rompamos	rompiéramos (-semos)	rompamos	romperíamos
rompáis	rompierais (-seis)	romped (no rompáis)	romperíais
rompan	rompieran (-sen)	rompan Vds.	romperían

infinitivo: romper **gerundio:** rompiendo **participio:** roto

saber *wiedzieć*

Indicativo

presente	imperfecto	pret. indef.	futuro
sé	sabía	supe	sabré
sabes	sabías	supiste	sabrás
sabe	sabía	supo	sabrá
sabemos	sabíamos	supimos	sabremos
sabéis	sabíais	supisteis	sabréis
saben	sabían	supieron	sabrán

Subjuntivo

Imperativo

presente	imperfecto		condicional
sepa	supiera (-se)	–	sabría
sepas	supieras (-ses)	sabe (no sepas)	sabrías
sepa	supiera (-se)	sepa Vd.	sabría
sepamos	supiéramos (-semos)	sepamos	sabríamos
sepáis	supierais (-seis)	sabed (no sepáis)	sabríais
sepan	supieran (-sen)	sepan Vds.	sabrían

infinitivo: saber **gerundio:** sabiendo **participio:** sabido

Druga koniugacja

satisfacer *zadowalać, zaspokajać*

Indicativo

presente	imperfecto	pret. indef.	futuro
satisfago	satisfacía	satisfice	satisfaré
satisfaces	satisfacías	satisfaciste	satisfarás
satisface	satisfacía	satisfizo	satisfará
satisfacemos	satisfacíamos	satisfacimos	satisfaremos
satisfacéis	satisfacíais	satisfacisteis	satisfaréis
sarisfacen	satisfacían	satisfacieron	satisfarán

Subjuntivo

Imperativo

presente	imperfecto		condicional
satisfaga	satisfaciera (-se)	–	satisfaría
satisfagas	satisfacieras (-ses)	satisface satisfaz (no satisfagas)	satisfarías
satisfaga	satisfaciera (-se)	satisfaga Vd.	satisfaría
satisfagamos	satisfaciéramos (-semos)	satisfagamos	satisfaríamos
satisfagáis	satisfacierais (-seis)	satisfaced (no satisfagáis)	satisfaríais
satisfagan	satisfacieran (-sen)	satisfagan Vds.	satisfarían

infinitivo: satisfacer   **gerundio:** satisfaciendo   **participio:** satisfecho

soler *mieć w zwyczaju (coś robić)*

Nieakcentowane **o** w temacie przechodzi w **ue**; uwaga! – czasownika nie używa się w formach oznaczających czynności dokonane, używa się tylko w wybranych czasach.

Indicativo

presente	imperfecto	pret. indef.	futuro
suelo	solía	solí	–
sueles	solías	soliste	–
suele	solía	solió	–
solemos	solíamos	solimos	–
soléis	solíais	solisteis	–
suelen	solían	solieron	–

Subjuntivo

Imperativo

presente	imperfecto		condicional
suela	soliera (-se)	–	–
suelas	solieras (-ses)	–	–
suela	soliera (-se)	–	–
solamos	soliéramos (-semos)	–	–
soláis	solierais (-seis)	–	–
suelan	solieran (-sen)	–	–

infinitivo: soler   **gerundio:** soliendo   **participio:** solido

tañer grać (na instrumencie)

Nieakcentowane **i** po **ñ** zanika.

Indicativo

presente	imperfecto	pret. indef.	futuro
taño	tañía	tañí	tañeré
tañes	tañías	tañiste	tañerás
tañe	tañía	tañó	tañerá
tañemos	tañíamos	tañimos	tañeremos
tañéis	tañíais	tañisteis	tañeréis
tañen	tañían	tañeron	tañerán

Subjuntivo

Imperativo

presente	imperfecto		condicional
taña	tañera (-se)	–	tañería
tañas	tañeras (-ses)	tañe (no tañas)	tañerías
taña	tañera (-se)	taña Vd.	tañería
tañamos	tañéramos (-semos)	tañamos	tañeríamos
tañáis	tañerais (-seis)	tañed (no tañáis)	tañeríais
tañan	tañeran (-sen)	tañan Vds.	tañerían

infinitivo: tañer **gerundio:** tañendo **participio:** tañido

tener mieć

Indicativo

presente	imperfecto	pret. indef.	futuro
tengo	tenía	tuve	tendré
tienes	tenías	tuviste	tendrás
tiene	tenía	tuvo	tendrá
tenemos	teníamos	tuvimos	tendremos
tenéis	teníais	tuvisteis	tendréis
tienen	tenían	tuvieron	tendrán

Subjuntivo

Imperativo

presente	imperfecto		condicional
tenga	tuviera (tuviese)	–	tendría
tengas	tuvieras (-ses)	ten (no tengas)	tendrías
tenga	tuviera (-se)	tenga Vd.	tendría
tengamos	tuviéramos (-semos)	tengamos	tendriamos
tengáis	tuvierais (-seis)	tened (no tengáis)	tendríais
tengan	tuvieran (-sen)	tengan Vds.	tendrian

infinitivo: tener **gerundio:** teniendo **participio:** tenido

Druga koniugacja

traer *przynosić*

Indicativo

presente	imperfecto	pret. indef.	futuro
traigo	traía	traje	traeré
traes	traías	trajiste	traerás
trae	traía	trajo	traerá
traemos	traíamos	trajimos	traeremos
traéis	traíais	trajisteis	traeréis
traen	traían	trajeron	traerán

Subjuntivo

Imperativo

presente	imperfecto		condicional
traiga	trajera (-se)	–	traería
traigas	trajeras (-ses)	trae (no traigas)	traerías
traiga	trajera (-se)	traiga Vd.	traería
traigamos	trajéramos (-semos)	traigamos	traeríamos
traigáis	trajerais (-seis)	traed (no traigáis)	traeríais
traigan	trajeran (-sen)	traigan Vds.	traerían

infinitivo: traer **gerundio:** trayendo **participio:** traído

valer *mieć wartość*

Indicativo

presente	imperfecto	pret. indef.	futuro
valgo	valía	valí	valdré
vales	valías	valiste	valdrás
vale	valía	valió	valdrá
valemos	valíamos	valimos	valdremos
valéis	valíais	valisteis	valdréis
valen	valían	valieron	valdrán

Subjuntivo

Imperativo

presente	imperfecto		condicional
valga	valiera (-se)	–	valdría
valgas	valieras (-ses)	val (no valgas)	valdrías
valga	valiera (-se)	valga Vd.	valdría
valgamos	valiéramos (-semos)	valgamos	valdríamos
valgáis	valierais (-seis)	valed (no valgáis)	valdríais
valgan	valieran (-sen)	valgan Vds.	valdrían

infinitivo: valer **gerundio:** valiendo **participio:** valido

vencer zwyciężać

Tematyczna głoska **c** przed **a** i **o** zmienia się w **z**.

Indicativo

presente	imperfecto	pret. indef.	futuro
venzo	vencía	vencí	venceré
vences	vencías	venciste	vencerás
vence	vencía	venció	vencerá
vencemos	vencíamos	vencimos	venceremos
vencéis	vencíais	vencisteis	venceréis
vencen	vencían	vencieron	vencerán

Subjuntivo

Imperativo

presente	imperfecto		condicional
venza	venciera (-se)	–	vencería
venzas	vencieras (-ses)	vence (no venzas)	vencerías
venza	venciera (-se)	venza Vd.	vencería
venzamos	venciéramos (-semos)	venzamos	venceríamos
venzáis	vencierais (-seis)	venced (no venzáis)	venceríais
venzan	vencieran (-sen)	venzan Vds.	vencerían

infinitivo: vencer **gerundio:** venciendo **participio:** vencido

ver widzieć, patrzeć

Indicativo

presente	imperfecto	pret. indef.	futuro
veo	veía	vi	veré
ves	veías	viste	verás
ve	veía	vio	verá
vemos	veíamos	vimos	veremos
veis	veíais	visteis	veréis
ven	veían	vieron	verán

Subjuntivo

Imperativo

presente	imperfecto		condicional
vea	viera (-se)	–	vería
veas	vieras (ses)	ve (no veas)	verías
vea	viera (-se)	vea Vd.	vería
veamos	viéramos (-semos)	veamos	veríamos
veáis	vierais (-seis)	ved (no veáis)	veríais
vean	vieran (-sen)	vean Vds.	verían

infinitivo: ver **gerundio:** viendo **participio:** visto

Druga koniugacja

verter *wylewać, rozlewać*

ale również: przekładać (na język obcy)
Akcentowane **e** w temacie przechodzi w **ie**.

Indicativo

presente	imperfecto	pret. indef.	futuro
vierto	vertía	vertí	verteré
viertes	vertías	vertiste	verterás
vierte	vertía	vertió	verterá
vertemos	vertíamos	vertimos	verteremos
vertéis	vertíais	vertisteis	verteréis
vierten	vertían	vertieron	verterán

Subjuntivo

Imperativo

presente	imperfecto		condicional
vierta	vertiera (-se)	–	vertería
viertas	vertieras (-ses)	vierte (no viertas)	verterías
vierta	vertiera (-se)	vierta Vd.	vertería
vertamos	vertiéramos (-semos)	vertamos	verteríamos
vertáis	vertierais (-seis)	verted (no vertáis)	verteríais
viertan	vertieran (-sen)	viertan Vds.	verterían

infinitivo: verter   **gerundio:** vertiendo   **participio:** vertido

volver *wracać*

Akcentowane **o** w temacie przechodzi w **ue**; nieregularny imiesłów.

Indicativo

presente	imperfecto	pret. indef.	futuro
vuelvo	volvía	volví	volveré
vuelves	volvías	volviste	volverás
vuelve	volvía	volvió	volverá
volvemos	volvíamos	volvimos	volveremos
volvéis	volvíais	volvisteis	volveréis
vuelven	volvían	volvieron	volverán

Subjuntivo

Imperativo

presente	imperfecto		condicional
vuelva	volviera (-se)	–	volvería
vuelvas	volvieras (-ses)	vuelve (no vuelvas)	volverías
vuelva	volviera (-se)	vuelva Vd.	volvería
volvamos	volviéramos (-semos)	volvamos	volveríamos
volváis	volvierais (-seis)	volved (no volváis)	volveríais
vuelvan	volvieran (-sen)	vuelvan Vds.	volverían

infinitivo: volver   **gerundio:** volviendo   **participio:** vuelto

yacer *spoczywać, leżeć (w grobie)*

Można spotkać trzy formy w 1. os. *presente indicativo*, w *presente subjuntivo*
oraz w *imperativo*; uwaga! – czasownik używany prawie wyłącznie
w 3 os. czasu teraźniejszego i przeszłego.

Indicativo

presente	imperfecto	pret. indef.	futuro
yazco, yazgo. yago	yacía	yací	yaceré
yaces	yacías	yaciste	yacerás
yace	yacía	yació	yacerá
yacemos	yacíamos	yacimos	yaceremos
yacéis	yacíais	yacisteis	yaceréis
yacen	yacían	yacieron	yacerán

Subjuntivo

Imperativo

presente	imperfecto		condicional
yazca, yazga. yaga	yaciera (-se)	–	yacería
yazcas, yazgas. yagas	yacieras (-ses)	yace, yaz (no yazcas, no yazgas, no yagas)	yacerías
yazca, yazga, yaga	yaciera (-se)	yazca Vd., yazga Vd., yaga Vd.	yacería
yazcamos, yazgamos, yagamos	yaciéramos (-semos)	yazcamos, yazgamos, yagamos	yaceríamos
yazcáis, yazgáis, yagáis	yacierais (-seis)	yaced (no yazcáis, yazgáis, no yagáis)	no yaceríais
yazcan, yazgan, yagan	yacieran (-sen)	yazcan Vds., yazgan Vds., yagan Vds.	yacerían

infinitivo: yacer   **gerundio:** yaciendo   **participio:** yacido

Trzecia koniugacja

Czasowniki odmienione w tym rozdziale:

recibir	deducir	mullir
abolir	delinquir	oír
abrir	derretir	pedir
adherir	desleír	plañir
adquirir	despedir	predecir
aducir	desvaírse	preferir
advertir	diferir	producir
agredir	difundir	prohibir
argüir	dirigir	reducir
asir	discernir	referir
atribuir	distinguir	regir
balbucir	dormir	reír
bendecir	elegir	reñir
bruñir	erguir	repetir
bullir	esparcir	restituir
ceñir	freír	reunir
colegir	gemir	salir
competir	gruñir	seguir
concebir	henchir	sentir
concluir	hendir	servir
conducir	hervir	sugerir
confundir	huir	surgir
conseguir	incluir	teñir
constreñir	invertir	transferir
convergir	ir	trasferir
convertir	lucir	venir
corregir	medir	vestir
cubrir	mentir	zaherir
decir	morir	zurcir

recibir przyjmować, otrzymywać

formas simples

Indicativo

presente	imperfecto	pret. indef.	futuro
recibo	recibía	recibí	recibiré
recibes	recibías	recibiste	recibirás
recibe	recibía	recibió	recibirá
recibimos	recibíamos	recibimos	recibiremos
recibís	recibíais	recibisteis	recibiréis
reciben	recibían	recibieron	recibirán

Subjuntivo

Imperativo

presente	imperfecto		condicional
reciba	recibiera (recibiese)	–	recibiría
recibas	recibieras (-ses)	recibe (no recibas)	recibirías
reciba	recibiera (-se)	reciba Vd.	recibiría
recibamos	recibiéramos (-semos)	recibamos	recibiríamos
recibáis	recibierais (-seis)	recibid (no recibáis)	recibiríais
reciban	recibieran (-sen)	reciban Vds.	recibirían

infinitivo: recibir　　gerundio: recibiendo　　participio: recibido

formas compuestas

Indicativo

pret. perf.	pluscuamp.	pret. ant.	fut. perf.
he recibido	había recibido	hube recibido	habré recibido
has recibido	habías recibido	hubiste recibido	habrás recibido
ha recibido	había recibido	hubo recibido	habrá recibido
hemos recibido	habíamos recibido	hubimos recibido	habremos recibido
habéis recibido	habíais recibido	hubisteis recibido	habréis recibido
han recibido	habían recibido	hubieron recibido	habrán recibido

Subjuntivo

pret. perf.	pluscuamp.	cond. perf.
haya recibido	hubiera (hubiese) recibido	habría recibido
hayas recibido	hubieras (-ses) recibido	habrías recibido
haya recibido	hubiera (-se) recibido	habría recibido
hayamos recibido	hubiéramos (-semos) recibido	habríamos recibido
hayáis recibido	hubierais (-seis) recibido	habríais recibido
hayan recibido	hubieran (-sen) recibido	habrían recibido

infinitivo perf.: haber recibido　　gerundio perf.: habiendo recibido

91

Trzecia koniugacja

abolir *znosić, uchylać (dekret, prawo)*

Uwaga! – używa się wyłącznie form, które mają **i** w końcówce.

Indicativo

presente	imperfecto	pret. indef.	futuro
–	abolía	abolí	aboliré
–	abolías	aboliste	abolirás
–	abolía	abolió	abolirá
abolimos	abolíamos	abolimos	aboliremos
abolís	abolíais	abolisteis	aboliréis
–	abolían	abolieron	abolirán

Subjuntivo

Imperativo

presente	imperfecto		condicional
–	aboliera (-se)	–	aboliría
–	abolieras (-ses)	–	abolirías
–	aboliera (-se)	–	aboliría
–	aboliéramos (-semos)	–	aboliríamos
–	abolierais (-seis)	abolid	aboliríais
–	abolieran (-sen)	–	abolirían

infinitivo: abolir   **gerundio:** aboliendo   **participio:** abolido

abrir *otwierać*

Nieregularny imiesłów.

Indicativo

presente	imperfecto	pret. indef.	futuro
abro	abría	abrí	abriré
abres	abrías	abriste	abrirás
abre	abría	abrió	abrirá
abrimos	abríamos	abrimos	abriremos
abrís	abríais	abristeis	abriréis
abren	abrían	abrieron	abrirán

Subjuntivo

Imperativo

presente	imperfecto		condicional
abra	abriera (-se)	–	abriría
abras	abrieras (-ses)	abre (no abras)	abrirías
abra	abriera (-se)	abra Vd.	abriría
abramos	abriéramos (-semos)	abramos	abriríamos
abráis	abrierais (-seis)	abrid (no abráis)	abriríais
abran	abrieran (-sen)	abran Vds.	abrirían

infinitivo: abrir   **gerundio:** abriendo   **participio:** abierto

adherir *przylegać, kleić*

Indicativo

presente	imperfecto	pret. indef.	futuro
adhiero	adhería	adherí	adheriré
adhieres	adherías	adheriste	adherirás
adhiere	adhería	adhirió	adherirá
adherimos	adheríamos	adherimos	adheriremos
adherís	adheríais	adheristeis	adheriréis
adhieren	adherían	adhirieron	adherirán

Subjuntivo   Imperativo

presente	imperfecto		condicional
adhiera	adhiriera (-se)	–	adheriría
adhieras	adhirieras (-ses)	adhiere (no adhieras)	adherirías
adhiera	adhiriera (-se)	adhiera Vd.	adheriría
adhiramos	adhiriéramos (-semos)	adhiramos	adheriríamos
adhiráis	adhirierais (-seis)	adherid (no adhiráis)	adheriríais
adhieran	adhirieran (-sen)	adhieran Vds.	adherirían

infinitivo: adherir   **gerundio:** adhiriendo   **participio:** adherido

adquirir *uzyskiwać, zdobywać*

Akcentowane **i** w temacie przechodzi w **ie**.

Indicativo

presente	imperfecto	pret. indef.	futuro
adquiero	adquiría	adquirí	adquiriré
adquieres	adquirías	adquiriste	adquirirás
adquiere	adquiría	adquirió	adquirirá
adquirimos	adquiríamos	adquirimos	adquiriremos
adquirís	adquiríais	adquiristeis	adquiriréis
adquieren	adquirían	adquirieron	adquirirán

Subjuntivo   Imperativo

presente	imperfecto		condicional
adquiera	adquiriera (-se)	–	adquiriría
adquieras	adquirieras (-ses)	adquiere (no adquieras)	adquiriría
adquiera	adquiriera (-se)	adquiera Vd.	adquirirías
adquiramos	adquiriéramos (-semos)	adquiramos	adquiriríamos
adquiráis	adquirierais (-seis)	adquirid (no adquiráis)	adquiriríais
adquieran	adquirieran (-sen)	adquieran Vds.	adquirirían

infinitivo: adquirir   **gerundio:** adquiriendo   **participio:** adquirido

Trzecia koniugacja

aducir *przytaczać, powtarzać, cytować*

Głoska tematyczna **c** przed **a** i **o** przechodzi w **zc**;
nieregularne *pret. indef.* i *pret. imperf. subjuntivo* w końcówce **-uj**.

Indicativo

presente	imperfecto	pret. indef.	futuro
aduzco	aducía	aduje	aduciré
aduces	aducías	adujiste	aducirás
aduce	aducía	adujo	aducirá
aducimos	aducíamos	adujimos	aduciremos
aducís	aducíais	adujisteis	aduciréis
aducen	aducían	adujieron	aducirán

Subjuntivo / Imperativo

presente	imperfecto	Imperativo	condicional
aduzca	adujera (-se)	–	aduciría
aduzcas	adujeras (-ses)	aduce (no aduzcas)	aducirías
aduzca	adujera (-se)	aduzca Vd.	aduciría
aduzcamos	adujéramos (-semos)	aduzcamos	aduciríamos
aduzcáis	adujerais (-seis)	aducid (no aduzcáis)	aduciríais
aduzcan	adujeran (-sen)	aduzcan Vds.	aducirían

infinitivo: aducir   **gerundio:** aduciendo   **participio:** aducido

advertir *ostrzegać, zauważać, uprzedzać*

Indicativo

presente	imperfecto	pret. indef.	futuro
advierto	advertía	advertí	advertiré
adviertes	advertías	advertiste	advertirás
advierte	advertía	advirtió	advertirá
advertimos	advertíamos	advertimos	advertiremos
advertís	advertíais	advertisteis	advertiréis
advierten	advertían	advirtieron	advertirán

Subjuntivo / Imperativo

presente	imperfecto	Imperativo	condicional
advierta	advirtiera (-se)	–	advertiría
adviertas	advirtieras (-ses)	advierte (no adviertas)	advertirías
advierta	advirtiera (-se)	advierta Vd.	advertiría
advirtamos	advirtiéramos (-semos)	advirtamos	advertiríamos
advirtáis	advirtierais (-seis)	advertid (no advirtáis)	advertiríais
adviertan	advirtieran (-sen)	adviertan Vds.	advertirían

infinitivo: advertir   **gerundio:** advirtiendo   **participio:** advertido

agredir napadać, atakować

Uwaga! – używa się wyłącznie form, które mają **i** w końcówce.

Indicativo

presente	imperfecto	pret. indef.	futuro
–	agredía	agredí	agrediré
–	agredías	agrediste	agredirás
–	agredía	agredió	agredirá
agredimos	agredíamos	agredimos	agrediremos
agredís	agredíais	agredisteis	agrediréis
–	agredían	agredieron	agredirán

Subjuntivo   **Imperativo**

presente	imperfecto		condicional
–	agrediera (-se)	–	agrediría
–	agredieras (-ses)	–	agredirías
–	agrediera (-se)	–	agrediría
–	agrediéramos (-semos)	–	agrediríamos
–	agredierais (-seis)	agredid	agrediríais
–	agredlieran (-sen)	–	agredirían

infinitivo: agredir   gerundio: agrediendo   participio: agredido

argüir wnioskować, dysputować

i między samogłoskami przechodzi w **y**; **ü** przed **y** zmienia się w **u**.

Indicativo

presente	imperfecto	pret. indef.	futuro
arguyo	argüía	argüí	argüiré
arguyes	argüías	argüiste	argüirás
arguye	argüía	arguyó	argüirá
argüimos	argüíamos	argüimos	argüiremos
argüís	argüíais	argüisteis	argüiréis
arguyen	argüían	arguyeron	argüirán

Subjuntivo   **Imperativo**

presente	imperfecto		condicional
arguya	arguyera (-se)	–	argüiría
arguyas	arguyeras (-ses)	arguye (no arguyas)	argüirías
arguya	arguyera (-se)	arguya Vd.	argüiría
arguyamos	arguyéramos (-semos)	arguyamos	argüiríamos
arguyáis	arguyerais (-seis)	argüid (no arguyáis)	argüiríais
arguyan	arguyeran (-sen)	arguyan Vds.	argüirían

infinitivo: argüir   gerundio: arguyendo   participio: argüido

Trzecia koniugacja

asir łapać, chwytać

Indicativo

presente	imperfecto	pret. indef.	futuro
asgo	asía	así	asiré
ases	asías	asiste	asirás
ase	asía	asió	asirá
asimos	asíamos	asimos	asiremos
asís	asíais	asisteis	asiréis
asen	asían	asieron	asirán

Subjuntivo

presente	imperfecto	Imperativo	condicional
asga	asiera (-se)	–	asiría
asgas	asieras (-ses)	ase (no asgas)	asirías
asga	asiera (-se)	asga Vd.	asiría
asgamos	asiéramos (-semos)	asgamos	asiríamos
asgáis	asierais (-seis)	asid (no asgáis)	asiríais
asgan	asieran (-sen)	asgan Vds.	asirían

infinitivo: asir   gerundio: asiendo   participio: asido

atribuir przypisywać, przyznać

Nieakcentowane i między samogłoskami zmienia się w y.

Indicativo

presente	imperfecto	pret. indef.	futuro
atribuyo	atribuía	atribuí	atribuiré
atribuyes	atribuías	atribuiste	atribuirás
atribuye	atribuía	atribuyó	atribuirá
atribuímos	atribuíamos	atribuimos	atribuiremos
atribuís	atribuíais	atribuisteis	atribuiréis
atribuyen	atribuían	atribuyeron	atribuirán

Subjuntivo

presente	imperfecto	Imperativo	condicional
atribuya	atribuyera (-se)	–	atribuiría
atribuyas	atribuyeras (-ses)	atribuye (no atribuyas)	atribuirías
atribuya	atribuyera (-se)	atribuya Vd.	atribuiría
atribuyamos	atribuyéramos (-semos)	atribuyamos	atribuiríamos
atribuyáis	atribuyerais (-seis)	atribuid (no atribuyáis)	atribuiríais
atribuyan	atribuyeran (-sen)	atribuyan Vds.	atribuirían

infinitivo: atribuir   gerundio: atribuyendo   participio: atribuído

Trzecia koniugacja

balbucir jąkać się, bełkotać

Istnieją *balbucir* i bardziej popularna forma *balbucear*; obecnie doszło
do przemieszania form i 1. os. lp. *presente* oraz jej pochodne
utworzone są od *balbucear*, a pozostałe formy od *balbucir*.

Indicativo

presente	imperfecto	pret. indef.	futuro
balbuceo	balbucía	balbucí	balbuciré
balbuces	balbucías	balbuciste	balbucirás
balbuce	balbucía	balbució	balbucirá
balbucimos	balbucíamos	balbucimos	balbuciremos
balbucís	balbucíais	balbucisteis	balbuciréis
balbucen	balbucían	balbucieron	balbucirán

Subjuntivo / Imperativo

presente	imperfecto	Imperativo	condicional
balbucee	balbuciera (-se)	–	balbuciría
balbucees	balbucieras (-ses)	balbuce (no balbucees)	balbucirías
balbucee	balbuciera (-se)	balbucee Vd.	balbuciría
balbuceemos	balbuciéramos (-semos)	balbuceemos	balbuciríamos
balbuceéis	balbucierais (-seis)	balbucid (no balbuceéis)	balbuciríais
balbuceen	balbucieran (-sen)	balbuceen Vds.	balbucirían

infinitivo: balbucir   **gerundio:** balbuciendo   **participio:** balbucido

bendecir błogosławić

Drugi imiesłów używany jest częściej w znaczeniu przymiotnikowym niż w koniugacji.

Indicativo

presente	imperfecto	pret. indef.	futuro
bendigo	bendecía	bendije	bendeciré
bendices	bendecías	bendijiste	bendecirás
bendice	bendecía	bendijo	bendecirá
bendecimos	bendecíamos	bendijimos	bendeciremos
bendecís	bendecíais	bendijisteis	bendeciréis
bendicen	bendecían	bendijeron	bendecirán

Subjuntivo / Imperativo

presente	imperfecto	Imperativo	condicional
bendiga	bendijera (-se)	–	bendeciría
bendigas	bendijeras (-ses)	bendice (no bendigas)	bendecirías
bendiga	bendijera (-se)	bendiga Vd.	bendeciría
bendigamos	bendijéramos (-semos)	bendigamos	bendeciríamos
bendigáis	bendijerais (-seis)	bendecid (no bendigáis)	bendeciríais
bendigan	bendijeran (-sen)	bendigan Vds.	bendecirían

infinitivo: bendecir   **gerundio:** bendiciendo   **participio:** bendecido, bendito

Trzecia koniugacja

bruñir *polerować, wygładzać*

W formach, w których końcówka ma dyftong **ie** lub **io**, po **ñ** zanika **i**.

Indicativo

presente	imperfecto	pret. indef.	futuro
bruño	bruñía	bruñí	bruñiré
bruñes	bruñías	bruñiste	bruñirás
bruñe	bruñía	bruñó	bruñirá
bruñimos	bruñíamos	bruñimos	bruñiremos
bruñís	bruñíais	bruñisteis	bruñiréis
bruñen	bruñían	bruñeron	bruñirán

Subjuntivo   Imperativo

presente	imperfecto		condicional
bruña	bruñera (-se)	–	bruñiría
bruñas	bruñeras (-ses)	bruñe (no bruñas)	bruñirías
bruña	bruñera (-se)	bruña Vd.	bruñiría
bruñamos	bruñéramos (-semos)	bruñamos	bruñiríamos
bruñáis	bruñerais (-seis)	bruñid (no bruñáis)	bruñiríais
bruñan	bruñeran (-sen)	bruñan Vds.	bruñirían

infinitivo: bruñir **gerundio:** bruñendo **participio:** bruñido

bullir *wrzeć, miotać się*

W formach, w których końcówka ma dyftong **ie** lub **io**, po **ll** zanika **i**.

Indicativo

presente	imperfecto	pret. indef.	futuro
bullo	bullía	bullí	bulliré
bulles	bullías	bulliste	bullirás
bulle	bullía	bulló	bullirá
bullimos	bullíamos	bullimos	bulliremos
bullís	bullíais	bullisteis	bullireis
bullen	bullían	bulleron	bullirán

Subjuntivo   Imperativo

presente	imperfecto		condicional
bulla	bullera (-se)	–	bulliría
bullas	bulleras (-ses)	bulle (no bullas)	bullirías
bulla	bullera (-se)	bulla Vd.	bulliría
bullamos	bulléramos (-semos)	bullamos	bulliríamos
bulláis	bullerais (-seis)	bullid (no bulláis)	bulliríais
bullan	bulleran (-sen)	bullan Vds.	bullirían

infinitivo: bullir **gerundio:** bullendo **participio:** bullido

ceñir opasywać, ograniczać

Tematyczne **e** zmienia się w **i**, jeśli następna sylaba nie zawiera **i** lub zawiera je w dyftongu; w formach, w których końcówka ma dyftong **ie** lub **io**, po **ñ** zanika **i**.

Indicativo

presente	imperfecto	pret. indef.	futuro
ciño	ceñía	ceñí	ceñiré
ciñes	ceñías	ceñiste	ceñirás
ciñe	ceñía	ciñó	ceñirá
ceñimos	ceñíamos	ceñimos	ceñiremos
ceñís	ceñíais	ceñisteis	ceñiréis
ciñen	ceñían	ciñeron	ceñirán

Subjuntivo

presente	imperfecto	Imperativo	condicional
ciña	ciñera (-se)	–	ceñiría
ciñas	ciñeras (-ses)	ciñe (no ciñas)	ceñirías
ciña	ciñera (-se)	ciña Vd.	ceñiría
ciñamos	ciñéramos (-semos)	ciñamos	ceñiríamos
ciñáis	ciñerais (-seis)	ceñid (no ciñáis)	ceñiríais
ciñan	ciñeran (-sen)	ciñan Vds.	ceñirían

infinitivo: ceñir **gerundio:** ciñendo **participio:** ceñido

colegir wnioskować

Tematyczne **e** zmienia się w **i**, jeśli następna sylaba nie zawiera **i** lub zawiera je w dyftongu; **g** przed **a** i **o** zmienia się w **j**.

Indicativo

presente	imperfecto	pret. indef.	futuro
colijo	colegía	colegí	colegiré
coliges	colegías	colegiste	colegirás
colige	colegía	coligió	colegirá
colegimos	colegíamos	colegimos	colegiremos
colegís	colegíais	colegisteis	colegiréis
coligen	colegían	coligieron	colegirán

Subjuntivo

presente	imperfecto	Imperativo	condicional
colija	coligiera (-se)	–	colegiría
colijas	coligieras (-ses)	colige (no colijas)	colegirías
colija	coligiera (-se)	colija Vd.	colegiría
colijamos	coligiéramos (-semos)	colijamos	colegiríamos
colijáis	coligierais (-seis)	colegid (no colijáis)	colegiríais
colijan	coligieran (-sen)	colijan	colegirían

infinitivo: colegir **gerundio:** coligiendo **participio:** colegido

Trzecia koniugacja

competir rywalizować, konkurować

Tematyczne **e** zmienia się w **i**, jeśli następna sylaba nie zawiera **i** lub zawiera je w dyftongu.

Indicativo

presente	imperfecto	pret. indef.	futuro
compito	competía	competí	competiré
compites	competías	competiste	competirás
compite	competía	compitió	competirá
competimos	competíamos	competimos	competiremos
competís	competíais	competisteis	competiréis
compiten	competían	compitieron	competiran

Subjuntivo

Imperativo

presente	imperfecto		condicional
compita	compitiera (-se)	–	competiría
compitas	compitieras (-ses)	compite (no compitas)	competirías
compita	compitiera (-se)	compita Vd.	competiría
compitamos	compitiéramos (-semos)	compitamos	competiríamos
compitáis	compitierais (-seis)	competid (no compitáis)	competiríais
compitan	compitieran (-sen)	compitan Vds.	competirían

infinitivo: competir   **gerundio:** compitiendo   **participio:** competido

concebir koncypować (projekt, plan)

ale również: zajść w ciążę
Tematyczne **e** zmienia się w **i**, jeśli następna sylaba nie zawiera **i** lub zawiera je w dyftongu.

Indicativo

presente	imperfecto	pret. indef.	futuro
concibo	concebía	concebí	concebiré
concibes	concebías	concebiste	concebirás
concibe	concebía	concibió	concebirá
concebimos	concebíamos	concebimos	concebiremos
concebís	concebíais	concebisteis	concebiréis
conciben	concebían	concibieron	concebirán

Subjuntivo

Imperativo

presente	imperfecto		condicional
conciba	concibiera (-se)	–	concebiría
concibas	concibieras (-ses)	concibe (no concibas)	concebirías
conciba	concibiera (-se)	conciba Vd.	concebiría
concibamos	concibiéramos (-semos)	concibamos	concebiríamos
concibáis	concibierais (-seis)	concebid (no concibáis)	concebiríais
conciban	concibieran (-sen)	conciban Vds.	concebirían

infinitivo: concebir   **gerundio:** concibiendo   **participio:** concebido

concluir *kończyć, wnioskować*

Po temacie zakończonym na **i**, które nie tworzy sylaby, dochodzi **y**.

Indicativo

presente	imperfecto	pret. indef.	futuro
concluyo	concluía	concluí	concluiré
concluyes	concluías	concluiste	concluirás
concluye	concluía	concluyó	concluirá
concluimos	concluíamos	concluimos	concluiremos
concluís	concluíais	concluisteis	concluiréis
concluyen	concluíana	concluyeron	concluirán

Subjuntivo / Imperativo

presente	imperfecto		condicional
concluya	concluyera (-se)	–	concluiría
concluyas	concluyeras (-ses)	concluye (no concluyas)	concluirías
concluya	concluyera (-se)	concluya Vd.	concluiría
concluyamos	concluyéramos (-semos)	concluyamos	concluiríamos
concluyáis	concluyerais (-seis)	concluid (no concluyáis)	concluiríais
concluyan	concluyeran (-sen)	concluyan Vds.	concluirían

infinitivo: concluir   **gerundio:** concluyendo   **participio:** concluido

conducir *prowadzić*

Głoska tematyczna **c** przechodzi przed **a** i **o** w **zc**; nieregularny *pret. indef.* i *pret. imperf. subjuntivo* – w końcówce **-uj**.

Indicativo

presente	imperfecto	pret. indef.	futuro
conduzco	conducía	conduje	conduciré
conduces	conducías	condujiste	conducirás
conduce	conducía	condujo	conducirá
conducimos	conducíamos	condujimos	conduciremos
conducís	conducíais	condujisteis	conduciréis
conducen	conducían	condujeron	conducirán

Subjuntivo / Imperativo

presente	imperfecto		condicional
conduzca	condujera (-se)	–	conduciría
conduzcas	condujeras (-ses)	conduce (no conduzcas)	conducirías
conduzca	condujera (-se)	conduzca Vd.	conduciría
conduzcamos	condujéramos (-semos)	conduzcamos	conduciríamos
conduzcáis	condujerais (-seis)	conducid (no conduzcáis)	conduciríais
conduzcan	condujeran (-sen)	conduzcan Vds.	conducirían

infinitivo: conducir   **gerundio:** conduciendo   **participio:** conducido

Trzecia koniugacja

confundir *mylić, pomieszać*

Drugi, nieregularny imiesłów używany jest w znaczeniu przymiotnikowym.

Indicativo

presente	imperfecto	pret. indef.	futuro
confundo	confundía	confundí	confundiré
confundes	confundías	confundiste	confundirás
confunde	confundía	confundió	confundirá
confundimos	confundíamos	confundimos	confundiremos
confundís	confundíais	confundisteis	confundiréis
confunden	confundían	confundieron	confundirán

Subjuntivo   ### Imperativo

presente	imperfecto		condicional
confunda	confundiera (-se)	–	confundiría
confundas	confundieras (-ses)	confunde (no confundas)	confundirías
confunda	confundiera (-se)	confunda Vd.	confundiría
confundamos	confundiéramos (-semos)	confundamos	confundiríamos
confundáis	confundierais (-seis)	confundid (no confundáis)	confundiríais
confundan	confundieran (-sen)	confundan Vds.	confundirían

infinitivo: confundir   **gerundio:** confundiendo   **participio:** confundido, confuso

conseguir *osiągać, otrzymywać*

Tematyczne **e** zmienia się w **i**, jeśli następna sylaba nie zawiera **i** lub zawiera je w dyftongu; **gu** zmienia się przed **a** i **o** w **g**.

Indicativo

presente	imperfecto	pret. indef.	futuro
consigo	conseguía	conseguí	conseguiré
consigues	conseguías	conseguiste	conseguirás
consigue	conseguía	consiguió	conseguirá
conseguimos	conseguíamos	conseguimos	conseguiremos
conseguís	conseguíais	conseguisteis	conseguiréis
consiguen	conseguían	consiguieron	conseguirán

Subjuntivo   ### Imperativo

presente	imperfecto		condicional
consiga	consiguiera (-se)	–	conseguiría
consigas	consiguieras(-ses)	consigue (no consigas)	conseguirías
consiga	consiguiera (-se)	consiga Vd.	conseguiría
consigamos	consiguiéramos (-semos)	consigamos	conseguiríamos
consigáis	consiguierais (-seis)	conseguid (no consigáis)	conseguiríais
consigan	consiguieran (-sen)	consigan Vds.	conseguirían

infinitivo: conseguir   **gerundio:** consiguiendo   **participio:** conseguido

Trzecia koniugacja

constreñir przymuszać, zniewalać

Tematyczne **e** zmienia się w **i**, jeśli następna sylaba nie zawiera **i** lub zawiera je
w dyftongu; w formach, w których końcówka ma dyftong **ie** lub **io**, po **ñ** zanika **i**.

Indicativo

presente	imperfecto	pret. indef.	futuro
constriño	constreñía	constreñí	constreñiré
constriñes	constreñías	constreñiste	constreñirás
constriñe	constreñía	constriñó	constreñirá
constreñimos	constreñíamos	constriñimos	constreñiremos
constreñís	constreñíais	contreñisteis	constreñiréis
constriñen	constreñían	constriñeron	constreñirán

Subjuntivo

Imperativo

presente	imperfecto		condicional
constriña	constriñera (-se)	–	constreñiría
constriñas	constriñeras (-ses)	constriñe (no constriñas)	constreñirías
constriña	constriñera (-se)	constriña Vd.	constreñiría
constriñamos	constriñéramos (-semos)	constriñamos	constreñiríamos
constriñáis	constriñerais (-seis)	constreñid (no constriñáis)	constreñiríais
constriñan	constriñeran (-sen)	constriñan Vds.	constreñirían

infinitivo: constreñir   **gerundio:** constriñendo   **participio:** constreñido

convergir zbiegać się w jednym punkcie

Chociaż *convergir* jest formą prawidłową, to częściej używana jest forma *converger*
(zob. *converger*); tematyczna głoska **g** przed **a** i **o** zmienia się w **j**.

Indicativo

presente	imperfecto	pret. indef.	futuro
converjo	convergía	convergí	convergeré
converges	convergías	convergiste	convergerás
converge	convergía	convergió	convergerá
convergimos	convergíamos	convergimos	convergeremos
convergís	convergíais	convergisteis	convergeréis
convergen	convergían	convergieron	convergerán

Subjuntivo

Imperativo

presente	imperfecto		condicional
converja	convergiera (-se)	–	convergería
converjas	convergieras (-ses)	converge (no converjas)	convergerías
converja	convergiera (-se)	converja Vd.	convergería
converjamos	convergiéramos (-semos)	converjamos	convergeríamos
converjáis	convergierais (-seis)	convergid (no converjáis)	convergeríais
converjan	convergieran (-sen)	converjan Vds.	convergerían

infinitivo: convergir   **gerundio:** convergiendo   **participio:** convergido

Trzecia koniugacja

convertir *przemieniać, nawracać*

Indicativo

presente	imperfecto	pret. indef.	futuro
convierto	convertía	convertí	convertiré
conviertes	convertías	convertiste	convertirás
convierte	convertía	convirtió	convertirá
convertimos	convertíamos	convertimos	convertiremos
convertís	convertíais	convertisteis	convertiréis
convierten	convertían	convirtieron	convertirán

Subjuntivo

Imperativo

presente	imperfecto		condicional
convierta	convirtiera (-se)	–	convertiría
conviertas	convirtieras (-ses)	convierte (no conviertas)	convertirías
convierta	convirtiera (-se)	convierta Vd.	convertiría
convirtamos	convirtiéramos (-semos)	convirtamos	convertiríamos
convirtáis	convirtierais (-seis)	convertid (no convirtáis)	convertiríais
conviertan	convirtieran (-sen)	conviertan Vds.	convertirían

infinitivo: convertir   **gerundio:** convirtiendo   **participio:** convertido

corregir *poprawiać, korygować*

Tematyczne **e** zmienia się w **i**, jeśli następna sylaba nie zawiera **i** lub zawiera je w dyftongu; **g** przed **a** i **o** zmienia się w **j**; drugi imiesłów używany jest tylko w znaczeniu przymiotnikowym.

Indicativo

presente	imperfecto	pret. indef.	futuro
corrijo	corregía	corregí	corregiré
corriges	corregías	corrgiste	corregirás
corrige	corregía	corrigió	corregirá
corregimos	corregíamos	corregimos	corregiremos
corregís	corregíais	corregisteis	corregiréis
corrigen	corregían	corrigieron	corregirán

Subjuntivo

Imperativo

presente	imperfecto		condicional
corrija	corrigiera (-se)	–	corregiría
corrijas	corrigieras (-ses)	corrige (no corrijas)	corregirías
corrija	corrigiera (-se)	corrija Vd.	corregiría
corrijamos	corrigiéramos (-semos)	corrijamos	corregiríamos
corrijáis	corrigierais (-seis)	corregid (no corrijáis)	corregiríais
corrijan	corrigieran (-sen)	corrijan Vds.	corregirían

infinitivo: corregir   **gerundio:** corrigiendo   **participio:** corregido, correcto

cubrir *zakrywać, przykrywać*

Nieregularny imiesłów.

Indicativo

presente	imperfecto	pret. indef.	futuro
cubro	cubría	cubrí	cubriré
cubres	cubrías	cubriste	cubrirás
cubre	cubría	cubrió	cubrirá
cubrimos	cubríamos	cubrimos	cubriremos
cubrís	cubríais	cubristeis	cubriréis
cubren	cubrían	cubrieron	cubrirán

Subjuntivo · Imperativo

presente	imperfecto		condicional
cubra	cubriera (-se)	–	cubriría
cubras	cubrieras (-ses)	cubre (no cubras)	cubrirías
cubra	cubriera (-se)	cubra Vd.	cubriría
cubramos	cubriéramos (-semos)	cubramos	cubriríamos
cubráis	cubrierais (-seis)	cubrid (no cubráis)	cubriríais
cubran	cubrieran (-sen)	cubran Vds.	cubrirían

infinitivo: cubrir gerundio: cubriendo participio: cubierto

decir *mówić, powiedzieć*

Indicativo

presente	imperfecto	pret. indef.	futuro
digo	decía	dije	diré
dices	decías	dijiste	dirás
dice	decía	dijo	dirá
decimos	decíamos	dijimos	diremos
decís	decíais	dijisteis	diréis
dicen	decían	dijeron	dirán

Subjuntivo · Imperativo

presente	imperfecto		condicional
diga	dijera (-se)	–	diría
digas	dijeras (-ses)	di (no digas)	dirías
diga	dijera (-se)	diga Vd.	diría
digamos	dijéramos (-semos)	digamos	diríamos
digáis	dijerais (-seis)	decid (no digáis)	diríais
digan	dijeran (-sen)	digan Vds.	dirían

infinitivo: decir gerundio: diciendo participio: dicho

Trzecia koniugacja

deducir *wnioskować, dedukować*

Głoska tematyczna **c** przed **a** i **o** przechodzi w **zc**;
nieregularny *pret. indef.* i *pret. imperf. subjuntivo* – w końcówce **-uj**.

Indicativo

presente	imperfecto	pret. indef.	futuro
deduzco	deducía	deduje	deduciré
deduces	deducías	dedujiste	deducirás
deduce	deducía	dedujo	deducirá
deducimos	deducíamos	dedujimos	deduciremos
deducís	deducíais	dedujisteis	deduciréis
deducen	deducían	dedujeron	deducirán

Subjuntivo

presente	imperfecto	Imperativo	condicional
deduzca	dedujera (-se)	–	deduciría
deduzcas	dedujeras (-ses)	deduce (no deduzcas)	deducirías
deduzca	dedujera (-se)	deduzca Vd.	deduciría
deduzcamos	dedujéramos (-semos)	deduzcamos	deduciríamos
deduzcáis	dedujerais (-seis)	deducid (no deduzcáis)	deduciríais
deduzcan	dedujeran (-sen)	deduzcan Vds.	deducirían

infinitivo: deducir   **gerundio:** deduciendo   **participio:** deducido

delinquir *popełnić przestępstwo*

qu w temacie przechodzi przed **a** i **o** w **c**.

Indicativo

presente	imperfecto	pret. indef.	futuro
delinco	delinquía	delinquí	delinquiré
delinques	delinquías	delinquiste	delinquirás
delinque	delinquía	delinquió	delinquirá
delinquimos	delinquíamos	delinquimos	delinquiremos
delinquís	delinquíais	delinquisteis	delinquiréis
delinquen	delinquían	delinquieron	delinquirán

Subjuntivo

presente	imperfecto	Imperativo	condicional
delinca	delinquiera (-se)	–	delinquiría
delincas	delinquieras (-ses)	delinque (no delincas)	delinquirías
delinca	delinquiera (-se)	delinca	delinquiría
delincamos	delinquiéramos (-semos)	delincamos	delinquiríamos
delincáis	delinquierais (-seis)	delinquid (no delincáis)	delinquiríais
delincan	delinquieran (-sen)	delincan Vds.	delinquirían

infinitivo: delinquir   **gerundio:** delinquiendo   **participio:** delinquido

derretir *topić, rozpuszczać*

Tematyczne **e** zmienia się w **i**, jeśli następna sylaba nie zawiera **i** lub zawiera je w dyftongu.

Indicativo

presente	imperfecto	pret. indef.	futuro
derrito	derretía	derretí	derretiré
derrites	derretías	derretiste	derretirás
derrite	derretía	derritió	derretirá
derretimos	derretíamos	derretimos	derretiremos
derretís	derretíais	derretisteis	derretiréis
derriten	derretían	derritieron	derretirán

Subjuntivo

presente	imperfecto	Imperativo	condicional
derrita	derritiera (-se)	–	derretiría
derritas	derritieras (-ses)	derrite (no derritas)	derretirías
derrita	derritiera (-se)	derrita Vd.	derretiría
derritamos	derritiéramos (-semos)	derritamos	derretiríamos
derritáis	derritierais (-seis)	derretid (no derritáis)	derretiríais
derritan	derritieran (-seis)	derritan Vds.	derretirían

infinitivo: derretir **gerundio:** derritiendo **participio:** derretido

desleír *rozpuszczać, roztapiać*

Indicativo

presente	imperfecto	pret. indef.	futuro
deslío	desleía	desleí	desleiré
deslíes	desleías	desleíste	desleirás
deslíe	desleía	deslió	desleirá
desleímos	desleíamos	desleímos	desleiremos
desleís	desleíais	desleísteis	desleiréis
deslíen	desleían	deslieron	desleiran

Subjuntivo

presente	imperfecto	Imperativo	condicional
deslía	desliera (-se)	–	desleiría
deslías	deslieras (-ses)	deslíe (no deslías)	desleirías
deslía	desliera (-se)	deslía Vd.	desleiría
desliamos	desliéramos (-semos)	desliamos	desleiríamos
desliáis	deslierais (-seis)	desleíd (no desliáis)	desleiríais
deslían	deslieran (-sen)	deslían	desleirían

infinitivo: desleír **gerundio:** desliendo **participio:** desleído

Trzecia koniugacja

despedir żegnać, zwalniać (z pracy)

Tematyczne **e** zmienia się w **i**, jeśli następna sylaba nie zawiera **i** lub zawiera je w dyftongu.

Indicativo

presente	imperfecto	pret. indef.	futuro
despido	despedía	despedí	despediré
despides	despedías	despediste	despedirás
despide	despedía	despidió	despedirá
despedimos	despedíamos	despedimos	despediremos
despedís	despedíais	despedisteis	despediréis
despiden	despedían	despidieron	despedirán

Subjuntivo

presente	imperfecto	Imperativo	condicional
despida	despidiera (-se)	–	despediría
despidas	despidieras (-ses)	despide (no despidas)	despedirías
despida	despidiera (-se)	despida Vd.	despediría
despidamos	despidiéramos (-semos)	despidamos	despediríamos
despidáis	despidierais (-seis)	despedid (no despidáis)	despediríais
despidan	despidieran (-sen)	despidan Vds.	despedirían

infinitivo: despedir   **gerundio:** despidiendo   **participio:** despedido

desvaírse blaknąć, tracić kolor

Uwaga! – używa się wyłącznie form, które mają **i** w końcówce; nieakcentowane **i** między samogłoskami zmienia się w **y**.

Indicativo

presente	imperfecto	pret. indef.	futuro
–	me desvaía	me desvaí	me desvairé
–	te desvaías	te desvaíste	te desvairás
–	se desvaía	se desvayó	se desvairá
nos devaímos	nos desvaíamos	nos desvaímos	nos desvairemos
os desvaís	os desvaíais	os desvaísteis	os desvairéis
–	se desvaían	se desvayeron	se desvairán

Subjuntivo

presente	imperfecto	Imperativo	condicional
–	me desvayera (-se)	–	me desvairía
–	te desvayeras (-ses)	–	te desvairías
–	se desvayera (-se)	–	se desvairía
–	nos desvayéramos (-semos)	–	nos desvairíamos
–	os desvayerais (-seis)	os devaíd	os desvairíais
–	se desvayeran (-sen)	–	se desvairían

infinitivo: desvaírse   **gerundio:** desvayéndose   **participio:** desvaído

diferir — *różnić się, być innym*

Indicativo

presente	imperfecto	pret. indef.	futuro
difiero	difería	diferí	diferiré
difieres	diferías	diferiste	diferirás
difiere	difería	difirió	diferirá
diferimos	diferíamos	diferimos	diferiremos
diferís	diferíais	diferisteis	diferiréis
difieren	diferían	difirieron	diferirán

Subjuntivo — Imperativo

presente	imperfecto		condicional
difiera	difiriera (-se)	–	diferiría
difieras	difirieras (-ses)	difiere (no difieras)	diferirías
difiera	difiriera (-se)	difiera Vd.	diferiría
difiramos	difiriéramos (-semos)	difiramos	diferiríamos
difiráis	difirierais (-seis)	diferid (no difiráis)	diferiríais
difieran	difirieran (-sen)	difieran Vds.	diferirían

infinitivo: diferir **gerundio:** difiriendo **participio:** diferido

difundir — *roznosić, rozprzestrzeniać*

Drugi, nieregularny imiesłów używany jest tylko w znaczeniu przymiotnikowym.

Indicativo

presente	imperfecto	pret. indef.	futuro
difundo	difundía	difundí	difundiré
difundes	difundías	difundiste	difundirás
difunde	difundía	difundió	difundirá
difundimos	difundíamos	difundimos	difundiremos
difundís	difundíais	difundisteis	difundiréis
difunden	difundían	difundieron	difundirán

Subjuntivo — Imperativo

presente	imperfecto		condicional
difunda	difundiera (-se)	–	difundiría
difundas	difundieras (-ses)	difunde (no difundas)	difundirías
difunda	difundiera (-se)	difunda Vd.	difundiría
difundamos	difundiéramos (-semos)	difundamos	difundiríamos
difundáis	difundierais (-seis)	difundid (no difundáis)	difundiríais
difundan	difundieran (-sen)	difundan Vds.	difundirían

infinitivo: difundir **gerundio:** difundiendo **participio:** difundido, difuso

Trzecia koniugacja

dirigir *kierować, prowadzić*

g w temacie przechodzi przed **a** i **o** w **j**.

Indicativo

presente	imperfecto	pret. indef.	futuro
dirijo	dirigía	dirigí	dirigiré
diriges	dirigías	dirigiste	dirigirás
dirige	dirigía	dirigió	dirigirá
dirigimos	dirigíamos	dirigimos	dirigiremos
dirigís	dirigíais	dirigisteis	dirigiréis
dirigen	dirigían	dirigieron	dirigirán

Subjuntivo

Imperativo

presente	imperfecto		condicional
dirija	dirigiera (-se)	–	dirigiría
dirijas	dirigieras (-ses)	dirige (no dirijas)	dirigirías
dirija	dirigiera (-se)	dirija Vd.	dirigiría
dirijamos	dirigiéramos (-semos)	dirijamos	dirigiríamos
dirijáis	dirigierais (-seis)	dirigid (no dirijáis)	dirigiríais
dirijan	dirigieran (-sen)	dirijan Vds.	dirigirían

infinitivo: dirigir   **gerundio:** dirigiendo   **participio:** dirigido

discernir *rozróżniać, odróżniać*

Akcentowane **e** w temacie przechodzi w **ie**.

Indicativo

presente	imperfecto	pret. indef.	futuro
discierno	discernía	discerní	discerniré
disciernes	discernías	discerniste	discernirás
discierne	discernía	discernió	discernirá
discernimos	discerníamos	discernimos	discerniremos
discernís	discerníais	discernisteis	discerniréis
disciernen	discernían	discernieron	discernirán

Subjuntivo

Imperativo

presente	imperfecto		condicional
discierna	discerniera (-se)	–	discerniría
disciernas	discernieras (-ses)	discierne (no disciernas)	discernirías
discierna	discerniera (-se)	discierna Vd.	discerniría
discernamos	discerniéramos (-semos)	discernamos	discerniríamos
discernáis	discernierais (-seis)	discernid (no discernáis)	discerniríais
disciernan	discernieran (-sen)	disciernan Vds.	discernirían

infinitivo: discerinir   **gerundio:** discerniendo   **participio:** discernido

Trzecia koniugacja

distinguir rozróżniać

u po g zanika przed a i o.

Indicativo

presente	imperfecto	pret. indef.	futuro
distingo	distinguía	distinguí	distinguiré
distingues	distinguías	distinguiste	distinguirás
distingue	distinguía	distinguió	distinguirá
distinguimos	distinguíamos	distinguimos	distinguiremos
distinguís	distinguíais	distinguisteis	distinguiréis
distinguen	distinguían	distinguieron	distinguirán

Subjuntivo

Imperativo

presente	imperfecto		condicional
distinga	distinguiera (-se)	–	distinguiría
distingas	distinguieras (-ses)	distingue (no distingas)	distinguirías
distinga	distinguiera (-se)	distinga Vd.	distinguiría
distingamos	distinguiéramos (-semos)	distingamos	distinguiríamos
distingáis	distinguierais (-seis)	distinguid (no distingáis)	distinguiríais
distingan	distinguieran (-sen)	distingan Vds.	distinguirían

infinitivo: distinguir   gerundio: distinguiendo   participio: distinguido

dormir spać

Indicativo

presente	imperfecto	pret. indef.	futuro
duermo	dormía	dormí	dormiré
duermes	dormías	dormiste	dormirás
duerme	dormía	durmió	dormirá
dormimos	dormíamos	dormimos	dormiremos
dormís	dormíais	dormisteis	dormiréis
duermen	dormían	durmieron	dormirán

Subjuntivo

Imperativo

presente	imperfecto		condicional
duerma	durmiera (-se)	–	dormiría
duermas	durmieras (-ses)	duerme (no duermas)	dormirías
duerma	durmiera (-se)	duerma Vd.	dormiría
durmamos	durmiéramos (-semos)	durmamos	dormiríamos
durmáis	durmierais (-seis)	dormid (no durmáis)	dormiríais
duerman	durmieran (-sen)	duerman Vds.	dormirían

infinitivo: dormir   gerundio: durmiendo   participio: dormido

111

Trzecia koniugacja

elegir *wybierać*

Tematyczne **e** zmienia się w **i**, jeśli następna sylaba nie zawiera **i** lub zawiera je w dyftongu; **g** przed **a** i **o** zmienia się w **j**.

Indicativo

presente	imperfecto	pret. indef.	futuro
elijo	elegía	elegí	elegiré
eliges	elegías	elegíste	elegirás
elige	elegía	eligió	elegirá
elegimos	elegíamos	elegimos	elegiremos
elegís	elegíais	elegisteis	elegiréis
eligen	elegían	eligieron	elegirán

Subjuntivo

Imperativo

presente	imperfecto		condicional
elija	eligiera (-se)	–	elegiría
elijas	eligieras (-ses)	elige (no elijas)	elegirías
elija	eligiera (-se)	elija Vd.	elegiría
elijamos	eligiéramos (-semos)	elijamos	elegiríamos
elijáis	eligierais (-seis)	elegid (no elijáis)	elegiríais
elijan	eligieran (-sen)	elijan Vds.	elegirían

infinitivo: elegir   **gerundio:** eligiendo   **participio:** elegido

erguir *prostować, wznosić*

Tam, gdzie są dwie formy czasownika, to ta zaczynająca się na **y** jest częściej używana.

Indicativo

presente	imperfecto	pret. indef.	futuro
yergo (irgo)	erguía	erguí	erguiré
yergues (irgues)	erguías	erguiste	erguirás
yergue (irgue)	erguía	irguió	erguirá
erguimos	erguíamos	erguimos	erguiremos
erguís	erguíais	erguisteis	erguiréis
yerguen (irguen)	erguían	irguieron	erguirán

Subjuntivo

Imperativo

presente	imperfecto		condicional
yerga (irga)	irguiera (-se)	–	erguiría
yergas (irgas)	irguieras (-ses)	yergue (no yergas) irgue (no irgas)	erguirías
yerga (irga)	irguiera (-se)	yerga Vd. irga Vd.	erguiría
yergamos (irgamos)	irguiéramos (-semos)	yergamos irgamos	erguiríamos
yergáis (irgáis)	irguierais (-seis)	erguid (no irgáis)	erguiríais
yergan (irgan)	irguieran (-sen)	yergan Vds. irgan Vds.	erguirían

infinitivo: erguir   **gerundio:** irguiendo   **participio:** erguido

esparcir *rozsiewać*

c tematyczne przechodzi przed **a** i **o** w **z**.

Indicativo

presente	imperfecto	pret. indef.	futuro
esparzo	esparcía	esparcí	esparciré
esparces	esparcías	esparciste	esparcirás
esparce	esparcía	esparció	esparcirá
esparcimos	esparcíamos	esparcimos	esparciremos
esparcís	esparcíais	esparcisteis	esparciréis
esparcen	esparcían	esparcieron	esparcirán

Subjuntivo — **Imperativo**

presente	imperfecto		condicional
esparza	esparciera (-se)	–	esparciría
esparzas	esparcieras (-ses)	esparce (no esparzas)	esparcirías
esparza	esparciera (-se)	esparza Vd.	esparciría
esparzamos	esparciéramos (-semos)	esparzamos	esparciríamos
esparzáis	esparcierais (-seis)	esparcid (no esparzáis)	esparciríais
esparzan	esparcieran (-sen)	esparzan Vds.	esparcirían

infinitivo: esparcir **gerundio:** esparciendo **participio:** esparcido

freír *smażyć*

Imiesłów regularny używany jest raczej w koniugacji, nieregularny raczej w znaczeniu przymiotnikowym.

Indicativo

presente	imperfecto	pret. indef.	futuro
frío	freía	freí	freiré
fríes	freías	freíste	freirás
fríe	freía	frió	freirá
freímos	freíamos	freímos	freiremos
freís	freíais	freísteis	freiréis
fríen	freían	frieron	freirán

Subjuntivo — **Imperativo**

presente	imperfecto		condicional
fría	friera (-se)	–	freiría
frías	frieras (-ses)	fríe (no frías)	freirías
fría	friera (-se)	fría Vd.	freiría
fríamos	friéramos (-semos)	fríamos	freiríamos
friáis	frierais (-seis)	freid (no friáis)	freiríais
frían	frieran (-sen)	frían Vds.	freirían

infinitivo: freír **gerundio:** friendo **participio:** freído, frito

Trzecia koniugacja

gemir jęczeć

Tematyczne **e** zmienia się w **i**, jeśli następna sylaba nie zawiera **i** lub zawiera je w dyftongu.

Indicativo

presente	imperfecto	pret. indef.	futuro
gimo	gemía	gemí	gemiré
gimes	gemías	gemiste	gemirás
gime	gemía	gimió	gemirá
gemimos	gemíamos	gemimos	gemiremos
gemís	gemíais	gemisteis	gemiréis
gimen	gemían	gimieron	gemirán

Subjuntivo   Imperativo

presente	imperfecto		condicional
gima	gimiera (-se)	–	gemiría
gimas	gimieras (-ses)	gime (no gimas)	gemirías
gima	gimiera (-se)	gima Vd.	gemiría
gimamos	gimiéramos (-semos)	gimamos	gemiríamos
gimáis	gimierais (-seis)	gemid (no gimáis)	gemiríais
giman	gimieran (-sen)	giman Vds.	gemirían

infinitivo: gemir   **gerundio:** gimiendo   **participio:** gemido

gruñir chrząkać

Nieakcentowane **i** zanika po **ñ**.

Indicativo

presente	imperfecto	pret. indef.	futuro
gruño	gruñía	gruñí	gruñiré
gruñes	gruñías	gruñiste	gruñirás
gruñe	gruñía	gruñó	gruñirá
gruñimos	gruñíamos	gruñimos	gruñiremos
gruñís	gruñíais	gruñisteis	gruñiréis
gruñen	gruñían	gruñeron	gruñirán

Subjuntivo   Imperativo

presente	imperfecto		condicional
gruña	gruñera (-se)	–	gruñiría
gruñas	gruñeras (-ses)	gruñe (no gruñas)	gruñirías
gruña	gruñera (-se)	gruña Vd.	gruñiría
gruñamos	gruñéramos (-semos)	gruñamos	gruñiríamos
gruñáis	gruñerais (-seis)	gruñid (no gruñáis)	gruñiríais
gruñan	gruñeran (-sen)	gruñan Vds.	gruñirían

infinitivo: gruñir   **gerundio:** gruñendo   **participio:** gruñido

Trzecia koniugacja

henchir *napełniać, przejeść się*

Tematyczne **e** zmienia się w **i**, jeśli następna sylaba nie zawiera **i** lub zawiera je w dyftongu; w formach, w których końcówka ma dyftong **ie** lub **io**, po **ch** zanika **i**.

Indicativo

presente	imperfecto	pret. indef.	futuro
hincho	henchía	henchí	henchiré
hinches	henchías	henchiste	henchirás
hinche	henchía	hinchó	henchirá
henchimos	henchíamos	henchimos	henchiremos
henchís	henchíais	henchisteis	henchiréis
hinchen	henchían	hincheron	henchirán

Subjuntivo

presente	imperfecto	Imperativo	condicional
hincha	hinchiera (-se)	–	henchiría
hinchas	hinchieras (-ses)	hinche (no hinchas)	henchirías
hincha	hinchiera (-se)	hincha Vd.	henchiría
hinchamos	hinchiéramos (-semos)	hinchamos	henchiríamos
hincháis	hinchierais (-seis)	henchid (no hincháis)	henchiríais
hinchan	hinchieran (-sen)	hinchan Vds.	henchirían

infinitivo: henchir **gerundio:** hinchendo **participio:** henchido

hendir *łupać, przecinać*

Chociaż prawidłową formą jest też *hender*, obecnie częściej używa się *hendir*; akcentowane **e** w temacie przechodzi w **ie**.

Indicativo

presente	imperfecto	pret. indef.	futuro
hiendo	hendía	hendí	hendiré
hiendes	hendías	hendiste	hendirás
hiende	hendía	hendió	hendirá
hendimos	hendíamos	hendimos	hendiremos
hendís	hendíais	hendisteis	hendiréis
hienden	hendían	hendieron	hendirán

Subjuntivo

presente	imperfecto	Imperativo	condicional
hienda	hendiera (-se)	–	hendiría
hiendas	hendieras (-ses)	hiende (no hiendas)	hendirías
hienda	hendiera (-se)	hienda Vd.	hendiría
hendamos	hendiéramos (-semos)	hendamos	hendiríamos
hendáis	hendierais (-seis)	hendid (no hendáis)	hendiríais
hiendan	hendieran (-sen)	hiendan Vds.	hendirían

infinitivo: hendir **gerundio:** hendiendo **participio:** hendido

115

Trzecia koniugacja

hervir **wrzeć, kipieć**

Indicativo

presente	imperfecto	pret. indef.	futuro
hiervo	hervía	herví	herviré
hierves	hervías	herviste	hervirás
hierve	hervía	hirvió	hervirá
hervimos	hervíamos	hervimos	herviremos
hervís	hervíais	hervisteis	herviréis
hierven	hervían	hirvieron	hervirán

Subjuntivo

Imperativo

presente	imperfecto		condicional
hierva	hirviera (-se)	–	herviría
hiervas	hirvieras (-ses)	hierve (no hiervas)	hervirías
hierva	hirviera (-se)	hierva Vd.	herviría
hirvamos	hirviéramos (-semos)	hirvamos	herviríamos
hirváis	hirvierais (-seis)	hervid (no hirváis)	herviríais
hiervan	hirvieran (-sen)	hiervan Vds.	hervirían

infinitivo: hervir   **gerundio:** hirviendo   **participio:** hervido

huir **uciekać**

Nieakcentowane **i** między samogłoskami zmienia się w **y**.

Indicativo

presente	imperfecto	pret. indef.	futuro
huyo	huía	huí	huiré
huyes	huías	huiste	huirás
huye	huía	huyó	huirá
huimos	huíamos	huimos	huiremos
huís	huíais	huisteis	huiréis
huyen	huían	huyeron	huirán

Subjuntivo

Imperativo

presente	imperfecto		condicional
huya	huyera (-se)	–	huiría
huyas	huyeras (-ses)	huye (no huyas)	huirías
huya	huyera (-se)	huya Vd.	huiría
huyamos	huyéramos (-semos)	huyamos	huiríamos
huyáis	huyerais (-seis)	huid (no huyáis)	huiríais
huyan	huyeran (-sen)	huyan Vds.	huirían

infinitivo: huir   **gerundio:** huyendo   **participio:** huido

Trzecia koniugacja

incluir *włączać, zawierać*

Nieakcentowane **i** między samogłoskami zmienia się w **y**.

Indicativo

presente	imperfecto	pret. indef.	futuro
incluyo	incluía	incluí	incluiré
incluyes	incluías	incluiste	incluirás
incluye	incluía	incluyó	incluirá
incluimos	incluíamos	incluimos	incluiremos
incluís	incluíais	incluisteis	incluiréis
incluyen	incluían	incluyeron	incluirán

Subjuntivo

presente	imperfecto	Imperativo	condicional
incluya	incluyera (-se)	–	incluiría
incluyas	incluyeras (-ses)	incluye (no incluyas)	incluirías
incluya	incluyera (-se)	incluya Vd.	incluiría
incluyamos	incluyéramos (-semos)	incluyamos	incluiríamos
incluyáis	incluyerais (-seis)	incluid (no incluyáis)	incluiríais
incluyan	incluyeran (-sen)	incluyan Vds.	incluirían

infinitivo: incluir **gerundio:** incluyendo **participio:** incluido

invertir *inwestować; odwracać*

Drugi imiesłów używany jest w znaczeniu przymiotnikowym i dotyczy drugiego znaczenia.

Indicativo

presente	imperfecto	pret. indef.	futuro
invierto	invertía	invertí	invertiré
inviertes	invertías	invertiste	invertirás
invierte	invertía	invirtió	invertirá
invertimos	invertíamos	invertimos	invertiremos
invertís	invertíais	invertisteis	invertiréis
invierten	invertían	invirtieron	invertirán

Subjuntivo

presente	imperfecto	Imperativo	condicional
invierta	invirtiera (-se)	–	invertiría
inviertas	invirtieras (-ses)	invierte (no inviertas)	invertirías
invierta	invirtiera (-se)	invierta Vd.	invertiría
invirtamos	invirtiéramos (-semos)	invirtamos	invertiríamos
invirtáis	invirtierais (-seis)	invertid (no invirtáis)	invertiríais
inviertan	invirtieran (-sen)	inviertan Vds.	invertirían

infinitivo: invertir **gerundio:** invirtiendo **participio:** invertido, inverso

Trzecia koniugacja

ir *iść*

Indicativo

presente	imperfecto	pret. indef.	futuro
voy	iba	fui	iré
vas	ibas	fuiste	irás
va	iba	fue	irá
vamos	íbamos	fuimos	iremos
vais	ibais	fuisteis	iréis
van	iban	fueron	irán

Subjuntivo   Imperativo

presente	imperfecto		condicional
vaya	fuera (-se)	–	iría
vayas	fueras (-ses)	ve (no vayas)	irías
vaya	fuera (-se)	vaya Vd.	iría
vayamos	fuéramos (-semos)	vayamos (no vayamos)	iríamos
vayáis	fuerais (-seis)	id (no vayáis)	iríais
vayan	fueran (-sen)	vayan Vds.	irían

infinitivo: ir   **gerundio:** yendo   **participio:** ido

lucir *świecić, lśnić*

Głoska **c** w temacie przechodzi przed **a** i **o** w **zc**.

Indicativo

presente	imperfecto	pret. indef.	futuro
luzco	lucía	lucí	luciré
luces	lucías	luciste	lucirás
luce	lucía	lució	lucirá
lucimos	lucíamos	lucimos	luciremos
lucís	lucíais	lucisteis	luciréis
lucen	lucían	lucieron	lucirán

Subjuntivo   Imperativo

presente	imperfecto		condicional
luzca	luciera (-se)	–	luciría
luzcas	lucieras (-ses)	luce (no luzcas)	lucirías
luzca	luciera (-se)	luzca Vd.	luciría
luzcamos	luciéramos (-semos)	luzcamos	luciríamos
luzcáis	lucierais (-seis)	lucid (no luzcáis)	luciríais
luzcan	lucieran (-sen)	luzcan Vds.	lucirían

infinitivo: lucir   **gerundio:** luciendo   **participio:** lucido

medir *mierzyć*

Indicativo

presente	imperfecto	pret. indef.	futuro
mido	medía	medí	mediré
mides	medías	mediste	medirás
mide	medía	midió	medirá
medimos	medíamos	medimos	mediremos
medís	medíais	medisteis	mediréis
miden	medían	midieron	medirán

Subjuntivo | Imperativo

presente	imperfecto		condicional
mida	midiera (-se)	–	mediría
midas	midieras (-ses)	mide (no midas)	medirías
mida	midiera (-se)	mida Vd.	mediría
midamos	midiéramos (-semos)	midamos	mediríamos
midáis	midierais (-seis)	medid (no midáis)	mediríais
midan	midieran (-sen)	midan Vds.	medirían

infinitivo: medir **gerundio:** midiendo **participio:** medido

mentir *kłamać*

Indicativo

presente	imperfecto	pret. indef.	futuro
miento	mentía	mentí	mentiré
mientes	mentías	mentiste	mentirás
miente	mentía	mintió	mentirá
mentimos	mentíamos	mentimos	mentiremos
mentís	mentíais	mentisteis	mentiréis
mienten	mentían	mintieron	mentirán

Subjuntivo | Imperativo

presente	imperfecto		condicional
mienta	mintiera (-se)	–	mentiría
mientas	mintieras (-ses)	miente (no mientas)	mentirías
mienta	mintiera (-se)	mienta Vd.	mentiría
mintamos	mintiéramos (-semos)	mintamos	mentiríamos
mintáis	mintierais (-seis)	mentid (no mintáis)	mentiríais
mientan	mintieran (-sen)	mientan Vds.	mentirían

infinitivo: mentir **gerundio:** mintiendo **participio:** mentido

Trzecia koniugacja

Indicativo

presente	imperfecto	pret. indef.	futuro
muero	moría	morí	moriré
mueres	morías	moriste	morirás
muere	moría	murió	morirá
morimos	moríamos	morimos	moriremos
morís	moríais	moristeis	moriréis
mueren	morían	murieron	morirán

Subjuntivo Imperativo

presente	imperfecto		condicional
muera	muriera (-se)	–	moriría
mueras	murieras (-ses)	muere (no mueras)	morirías
muera	muriera (-se)	muera Vd.	moriría
muramos	muriéramos (-semos)	muramos	moriríamos
muráis	murierais (-seis)	morid (no muráis)	moriríais
mueran	murieran (-sen)	mueran Vds.	morirían

infinitivo: morir   **gerundio:** muriendo   **participio:** muerto

W formach, w których końcówka ma dyftong **ie** lub **io**, po **ll** zanika **i**.

Indicativo

presente	imperfecto	pret. indef.	futuro
mullo	mullía	mullí	mulliré
mulles	mullías	mulliste	mullirás
mulle	mullía	mulló	mullirá
mullimos	mullíamos	mullimos	mulliremos
mullís	mullíais	mullisteis	mulliréis
mullen	mullían	mulleron	mullirán

Subjuntivo Imperativo

presente	imperfecto		condicional
mulla	mullera (-se)	–	mulliría
mullas	mulleras (-ses)	mulle (no mullas)	mullirías
mulla	mullera (-se)	mulla Vd.	mulliría
mullamos	mulléramos (-semos)	mullamos	mulliríamos
mulláis	mullerais (-seis)	mullid (no mulláis)	mulliríais
mullan	mulleran (-sen)	mullan Vds.	mullirían

infinitivo: mullir   **gerundio:** mullendo   **participio:** mullido

oír słyszeć, słuchać

Indicativo

presente	imperfecto	pret. indef.	futuro
oigo	oía	oí	oiré
oyes	oías	oíste	oirás
oye	oía	oyó	oirá
oímos	oíamos	oímos	oiremos
oís	oíais	oísteis	oiréis
oyen	oían	oyeron	oirán

Subjuntivo

Imperativo

presente	imperfecto		condicional
oiga	oyera (-se)	–	oiría
oigas	oyeras (-ses)	oye (no oigas)	oirías
oiga	oyera (-se)	oiga Vd.	oiría
oigamos	oyéramos (-semos)	oigamos	oiríamos
oigáis	oyerais (-seis)	oíd (no oigáis)	oiríais
oigan	oyeran (-sen)	oigan Vds.	oirían

infinitivo: oír **gerundio:** oyendo **participio:** oído

pedir prosić

Tematyczne **e** zmienia się w **i**, jeśli następna sylaba nie zawiera **i** lub zawiera je w dyftongu.

Indicativo

presente	imperfecto	pret. indef.	futuro
pido	pedía	pedí	pediré
pides	pedías	pediste	pedirás
pide	pedía	pidió	pedirá
pedimos	pedíamos	pedimos	pediremos
pedís	pedíais	pedisteis	pediréis
piden	pedían	pidieron	pedirán

Subjuntivo

Imperativo

presente	imperfecto		condicional
pida	pidiera (-se)	–	pediría
pidas	pidieras (-ses)	pide (no pidas)	pedirías
pida	pidiera (-se)	pida Vd.	pediría
pidamos	pidiéramos (-semos)	pidamos	pediríamos
pidáis	pidierais (-seis)	pedid (no pidáis)	pediríais
pidan	pidieran (-sen)	pidan Vds.	pedirían

infinitivo: pedir **gerundio:** pidiendo **participio:** pedido

Trzecia koniugacja

plañir płakać, jęczęć, zawodzić

W formach, w których końcówka ma dyftong **ie** lub **io**, po **ñ** zanika **i**.

Indicativo

presente	imperfecto	pret. indef.	futuro
plaño	plañía	plañí	plañiré
plañes	plañías	plañiste	plañirás
plañe	plañía	plañó	plañirá
plañimos	plañíamos	plañimos	plañiremos
plañís	plañíais	plañisteis	plañiréis
plañen	plañían	plañeron	plañirán

Subjuntivo

Imperativo

presente	imperfecto		condicional
plaña	plañera (-se)	–	plañiría
plañas	plañeras (-ses)	plañe (no plañas)	plañirías
plaña	plañera (-se)	plaña Vd.	plañiría
plañamos	plañéramos (-semos)	plañamos	plañiríamos
plañáis	plañerais (-seis)	plañid (no plañáis)	plañiríais
plañan	plañeran (-sen)	plañan Vds.	plañirían

infinitivo: plañir   **gerundio:** plañendo   **participio:** plañido

predecir przepowiadać

Indicativo

presente	imperfecto	pret. indef.	futuro
predigo	predecía	predije	prediciré
predices	predecías	predijiste	predicirás
predice	predecía	predijo	predicirá
predecimos	predecíamos	predijimos	prediciremos
predecís	predecíais	predijisteis	prediciréis
predicen	predecían	predijeron	predicirán

Subjuntivo

Imperativo

presente	imperfecto		condicional
prediga	predijera (-se)	–	prediciría
predigas	predijeras (-ses)	predice (no predigas)	predicirías
prediga	predijera (-se)	prediga Vd.	prediciría
predigamos	predijéramos (-semos)	predigamos	prediciríamos
predigáis	predijerais (-seis)	predecid (no predigáis)	prediciríais
predigan	predijeran (-sen)	predigan Vds.	predicirían

infinitivo: predecir   **gerundio:** prediciendo   **participio:** predicho

preferir woleć, preferować

Indicativo

presente	imperfecto	pret. indef.	futuro
prefiero	prefería	preferí	preferiré
prefieres	preferías	preferiste	preferirás
prefiere	prefería	prefirió	preferirá
preferimos	preferíamos	preferimos	preferiremos
preferís	preferíais	preferisteis	preferiréis
prefieren	preferían	prefirieron	preferirán

Subjuntivo

Imperativo

presente	imperfecto		condicional
prefiera	prefiriera (-se)	–	preferiría
prefieras	prefirieras (-ses)	prefiere (no prefieras)	preferirías
prefiera	prefiriera (-se)	prefiera Vd.	preferiría
prefiramos	prefiriéramos (-semos)	prefiramos	preferiríamos
prefiráis	prefirierais (-seis)	preferid (no prefiráis)	preferiríais
prefieran	prefirieran (-sen)	prefieran Vds.	preferirían

infinitivo: preferir **gerundio:** prefiriendo **participio:** preferido

producir wytwarzać, produkować

Głoska tematyczna **c** przed **a** i **o** przechodzi w **zc**; nieregularny *pret. indef.* i *pret. imperf. subjuntivo* – w końcówce **-uj**.

Indicativo

presente	imperfecto	pret. indef.	futuro
produzco	producía	produje	produciré
produces	producías	produjiste	producirás
produce	producía	produjo	producirá
producimos	producíamos	produjimos	produciremos
producís	producíais	produjisteis	produciréis
producen	producían	produjeron	producirán

Subjuntivo

Imperativo

presente	imperfecto		condicional
produzca	produjera (-se)	–	produciría
produzcas	produjeras (-ses)	produce (no produzcas)	producirías
produzca	produjera (-se)	produzca Vd.	produciría
produzcamos	produjéramos (-semos)	produzcamos	produciríamos
produzcáis	produjerais (-seis)	producid (no produzcáis)	produciríais
produzcan	produjeran (-sen)	produzcan Vds.	producirían

infinitivo: producir **gerundio:** produciendo **participio:** producido

Trzecia koniugacja

prohibir *zabraniać*

Akcentowane **i** po niemym **h** nosi akcent graficzny.

Indicativo

presente	imperfecto	pret. indef.	futuro
prohíbo	prohibía	prohibí	prohibiré
prohíbes	prohibías	prohibiste	prohibirás
prohíbe	prohibía	prohibió	prohibirá
prohibimos	prohibíamos	prohibimos	prohibiremos
prohibís	prohibíais	prohibisteis	prohibiréis
prohiben	prohibían	prohibieron	prohibirán

Subjuntivo   Imperativo

presente	imperfecto		condicional
prohíba	prohibiera (-se)	–	prohibiría
prohíbas	prohibieras (-ses)	prohíbe (no prohíbas)	prohibirías
prohíba	prohibiera (-se)	prohíba Vd.	prohibiría
prohibamos	prohibiéramos (-semos)	prohibamos	prohibiríamos
prohibáis	prohibierais (-seis)	prohibid (no prohibáis)	prohibiríais
prohiban	prohibieran (-sen)	prohíban Vds.	prohibirían

infinitivo: prohibir   **gerundio:** prohibiendo   **participio:** prohibido

reducir *zmniejszać, redukować*

Głoska tematyczna **c** przed **a** i **o** przechodzi w **zc**; nieregularny *pret. indef.* i *pret. imperf. subjuntivo* – w końcówce **-uj**.

Indicativo

presente	imperfecto	pret. indef.	futuro
reduzco	reducía	reduje	reduciré
reduces	reducías	redujiste	reducirás
reduce	reducía	redujo	reducirá
reducimos	reducíamos	redujimos	reduciremos
reducís	reducíais	redujisteis	reduciréis
reducen	reducían	redujeron	reducirán

Subjuntivo   Imperativo

presente	imperfecto		condicional
reduzca	redujera (-se)	–	reduciría
reduzcas	redujeras (-ses)	reduce (no reduzcas)	reducirías
reduzca	redujera (-se)	reduzca Vd.	reduciría
reduzcamos	redujéramos (-semos)	reduzcamos	reduciríamos
reduzcáis	redujerais (-seis)	reducid (no reduzcáis)	reduciríais
reduzcan	redujeran (-sen)	reduzcan Vds.	reducirían

infinitivo: reducir   **gerundio:** reduciendo   **participio:** reducido

referir odnosić się do czegoś

ale również: referować.

Indicativo

presente	imperfecto	pret. indef.	futuro
refiero	refería	referí	referiré
refieres	referías	referiste	referirás
refiere	refería	refirió	referirá
referimos	referíamos	referimos	referiremos
referís	referíais	referisteis	referiréis
refieren	referían	refirieron	referirán

Subjuntivo

Imperativo

presente	imperfecto		condicional
refiera	refiriera (-se)	–	referiría
refieras	refirieras (-ses)	refiere (no refieras)	referirías
refiera	refiriera (-se)	refiera Vd.	referiría
refiramos	refiriéramos (-semos)	refiramos	referiríamos
refiráis	refirierais (-seis)	referid (no refiráis)	referiríais
refieran	refirieran (-sen)	refieran Vds.	referirían

infinitivo: referir **gerundio:** refiriendo **participio:** referido

regir rządzić

ale również: być w mocy (o prawie)
Tematyczne **e** zmienia się w **i**, jeśli następna sylaba nie zawiera **i**
lub zawiera je w dyftongu; **g** przed **a** i **o** zmienia się w **j**.

Indicativo

presente	imperfecto	pret. indef.	futuro
rijo	regía	regí	regiré
riges	regías	registe	regirás
rige	regía	rigió	regirá
regimos	regíamos	regimos	regiremos
regís	regíais	registeis	regiréis
rigen	regían	rigieron	regirán

Subjuntivo

Imperativo

presente	imperfecto		condicional
rija	rigiera (-se)	–	regiría
rijas	rigieras (-ses)	rige (no rijas)	regirías
rija	rigiera (-se)	rija Vd.	regiría
rijamos	rigiéramos (-semos)	rijamos	regiríamos
rijáis	rigierais (-seis)	regid (no rijáis)	regiríais
rijan	rigieran (-sen)	rijan Vds.	regirían

infinitivo: regir **gerundio:** rigiendo **participio:** regido

125

Trzecia koniugacja

reír śmiać się

Indicativo

presente	imperfecto	pret. indef.	futuro
río	reía	reí	reiré
ríes	reías	reíste	reirás
ríe	reía	rió	reirá
reímos	reíamos	reímos	reiremos
reís	reíais	reísteis	reiréis
ríen	reían	rieron	reirán

Subjuntivo

presente	imperfecto	Imperativo	condicional
ría	riera (-se)	–	reiría
rías	rieras (-ses)	rie (no rías)	reirías
ría	riera (-se)	ría Vd.	reiría
riamos	riéramos (-semos)	riamos	reiríamos
riáis	rierais (-seis)	reíd (no riáis)	reiríais
rían	rieran (-sen)	rian Vds.	reirían

infinitivo: reír   **gerundio:** riendo   **participio:** reído

reñir kłócić się, łajać kogoś

Tematyczne **e** zmienia się w **i**, jeśli następna sylaba nie zawiera **i** lub zawiera je w dyftongu; w formach, w których końcówka ma dyftong **ie** lub **io**, po **ñ** zanika **i**.

Indicativo

presente	imperfecto	pret. indef.	futuro
riño	reñía	reñí	reñiré
riñes	reñías	reñiste	reñirás
riñe	reñía	riñó	reñirá
reñimos	reñíamos	reñimos	reñiremos
reñís	reñíais	reñisteis	reñiréis
riñen	reñían	riñeron	reñirán

Subjuntivo

presente	imperfecto	Imperativo	condicional
riña	riñera (-se)	–	reñiría
riñas	riñeras (-ses)	riñe (no riñas)	reñirías
riña	riñera (-se)	riña Vd.	reñiría
riñamos	riñéramos (-semos)	riñamos	reñiríamos
riñáis	riñerais (-seis)	reñid (no riñáis)	reñiríais
riñan	riñeran (-sen)	riñan Vds.	reñirían

infinitivo: reñir   **gerundio:** riñendo   **participio:** reñido

repetir *powtarzać*

Tematyczne **e** zmienia się w **i**, jeśli następna sylaba nie zawiera **i** lub zawiera je w dyftongu.

Indicativo

presente	imperfecto	pret. indef.	futuro
repito	repetía	repetí	repetiré
repites	repetías	repetiste	repetirás
repite	repetía	repitió	repetirá
repetimos	repetíamos	repetimos	repetiremos
repetís	repetíais	repetisteis	repetiréis
repiten	repetían	repitieron	repetirán

Subjuntivo

Imperativo

presente	imperfecto		condicional
repita	repitiera (-se)	–	repetiría
repitas	repitieras (-ses)	repite (no repitas)	repetirías
repita	repitiera (-se)	repita Vd.	repetiría
repitamos	repitiéramos (-semos)	repitamos	repetiríamos
repitáis	repitierais (-seis)	repetid (no repitáis)	repetiríais
repitan	repitieran (-sen)	repitan Vds.	repetirían

infinitivo: repetir   **gerundio:** repitiendo   **participio:** repetido

restituir *oddawać, przywracać*

Nieakcentowane **i** między samogłoskami zmienia się w **y**.

Indicativo

presente	imperfecto	pret. indef.	futuro
restituyo	restituía	restituí	restituiré
restituyes	restituías	restituiste	restituirás
restituye	restituía	restituyó	restituirá
restituimos	restituíamos	restituimos	restituiremos
restituís	restituíais	restituisteis	restituiréis
restituyen	restituían	restituyeron	restituirán

Subjuntivo

Imperativo

presente	imperfecto		condicional
restituya	restituyera (-se)	–	restituiría
restituyas	restituyeras (-ses)	restituye (no restituyas)	restituirías
restituya	restituyera (-se)	restituya Vd.	restituiría
restituyamos	restituyéramos (-semos)	restituyamos	restituiríamos
restituyáis	restituyerais (-seis)	restituid (no restituyáis)	restituiríais
restituyan	restituyeran (-sen)	restituyan Vds.	restituirían

infinitivo: restituir   **gerundio:** restituyendo   **participio:** restituido

Trzecia koniugacja

reunir *zbierać, łączyć*

Akcentowane **u** w temacie nosi akcent graficzny.

Indicativo

presente	imperfecto	pret. indef.	futuro
reúno	reunía	reuní	reuniré
reúnes	reunías	reuniste	reunirás
reúne	reunía	reunió	reunirá
reunimos	reuníamos	reunimos	reuniremos
reunís	reuníais	reunisteis	reuniréis
reúnen	reunían	reunieron	reunirá

Subjuntivo

Imperativo

presente	imperfecto		condicional
reúna	reuniera (-se)	–	reuniría
reúnas	reunieras (-ses)	reúne (no reúnas)	reunirías
reúna	reuniera (-se)	reúna Vd.	reuniría
reunamos	reuniéramos (-semos)	reunamos	reuniríamos
reunáis	reunierais (-seis)	reunid (no reunáis)	reuniríais
reúnan	reunieran (-sen)	reúnan Vds.	reunirían

infinitivo: reunir   **gerundio:** reuniendo   **participio:** reunido

salir *wychodzić*

Indicativo

presente	imperfecto	pret. indef.	futuro
salgo	salía	salí	saldré
sales	salías	saliste	saldrás
sale	salía	salió	saldrá
salimos	salíamos	salimos	saldremos
salís	salíais	salisteis	saldréis
salen	salían	salieron	saldrán

Subjuntivo

Imperativo

presente	imperfecto		condicional
salga	saliera (-se)	–	saldría
salgas	salieras (-ses)	sal (no salgas)	saldrías
salga	saliera (-se)	salga Vd.	saldría
salgamos	saliéramos (-semos)	salgamos	saldríamos
salgáis	salierais (-seis)	salid (no salgáis)	saldríais
salgan	salieran (-sen)	salgan Vds.	saldrían

infinitivo: salir   **gerundio:** saliendo   **participio:** salido

seguir podążać; kontynuować

ale również: następować
Tematyczne **e** zmienia się w **i**, jeśli następna sylaba nie zawiera **i** lub zawiera je
w dyftongu; **gu** przed **a** i **o** zmienia się w **g**.

Indicativo

presente	imperfecto	pret. indef.	futuro
sigo	seguía	seguí	seguiré
sigues	seguías	seguiste	seguirás
sigue	seguía	siguió	seguirá
seguimos	seguíamos	seguimos	seguiremos
seguís	seguíais	seguisteis	seguiréis
siguen	seguían	siguieron	seguirán

Subjuntivo / Imperativo

presente	imperfecto	Imperativo	condicional
siga	siguiera (-se)	–	seguiría
sigas	siguieras (-ses)	sigue (no sigas)	seguirías
siga	siguiera (-se)	siga Vd.	seguiría
sigamos	siguiéramos (-semos)	sigamos	seguiríamos
sigáis	siguierais (-seis)	seguid (no sigáis)	seguiríais
sigan	siguieran (-sen)	sigan Vds.	seguirían

infinitivo: seguir   **gerundio:** siguiendo   **participio:** seguido

sentir czuć

Indicativo

presente	imperfecto	pret. indef.	futuro
siento	sentía	sentí	sentiré
sientes	sentías	sentiste	sentirás
siente	sentía	sintió	sentirá
sentimos	sentíamos	sentimos	sentiremos
sentís	sentíais	sentisteis	sentiréis
sienten	sentían	sintieron	sentirán

Subjuntivo / Imperativo

presente	imperfecto	Imperativo	condicional
sienta	sintiera (-se)	–	sentiría
sientas	sintieras (-ses)	siente (no sientas)	sentirías
sienta	sintiera (-se)	sienta Vd.	sentiría
sintamos	sintiéramos (-semos)	sintamos	sentiríamos
sintáis	sintierais (-seis)	sentid (no sintáis)	sentiríais
sientan	sintieran (-sen)	sientan Vds.	sentirían

infinitivo: sentir   **gerundio:** sintiendo   **participio:** sentido

Trzecia koniugacja

servir *służyć*

Tematyczne **e** zmienia się w **i**, jeśli następna sylaba nie zawiera **i**
lub zawiera je w dyftongu.

Indicativo

presente	imperfecto	pret. indef.	futuro
sirvo	servía	serví	serviré
sirves	servías	serviste	servirás
sirve	servía	sirvió	servirá
servimos	servíamos	servimos	serviremos
servís	servíais	servisteis	serviréis
sirven	servían	sirvieron	servirán

Subjuntivo / Imperativo

presente	imperfecto		condicional
sirva	sirviera (-se)	–	serviría
sirvas	sirvieras (-ses)	sirve (no sirvas)	servirías
sirva	sirviera (-se)	sirva Vd.	serviría
sirvamos	sirviéramos (-semos)	sirvamos	serviríamos
sirváis	sirvierais (-seis)	servid (no sirváis)	serviríais
sirvan	sirvieran(-sen)	sirvan Vds.	servirían

infinitivo: servir   **gerundio:** sirviendo   **participio:** servido

sugerir *sugerować*

Indicativo

presente	imperfecto	pret. indef.	futuro
sugiero	sugería	sugerí	sugeriré
sugieres	sugerías	sugeriste	sugerirás
sugiere	sugería	sugirió	sugerirá
sugerimos	sugeríamos	sugerimos	sugeriremos
sugerís	sugeríais	sugeristeis	sugeriréis
sugieren	sugerían	sugirieron	sugerirán

Subjuntivo / Imperativo

presente	imperfecto		condicional
sugiera	sugiriera (-se)	–	sugeriría
sugieras	sugirieras (-ses)	sugiere (no sugieras)	sugerirías
sugiera	sugiriera (-se)	sugiera Vd.	sugeriría
sugiramos	sugiriéramos (-semos)	sugiramos	sugeriríamos
sugiráis	sugirierais (-seis)	sugerid (no sugiráis)	sugeriríais
sugieran	sugirieran (-sen)	sugieran Vds.	sugerirían

infinitivo: sugerir   **gerundio:** sugiriendo   **participio:** sugerido

surgir pojawiać się, wyłaniać się

g przed **a** i **o** zmienia się w **j**.

Indicativo

presente	imperfecto	pret. indef.	futuro
surjo	surgía	surgí	surgiré
surges	surgías	sugiste	surgirás
surge	surgía	surgió	surgirá
surgimos	surgíamos	surgimos	surgiremos
surgís	surgíais	surgisteis	surgiréis
surgen	surgían	surgieron	surgirán

Subjuntivo   ### Imperativo

presente	imperfecto		condicional
surja	surgiera (-se)	–	surgiría
surjas	surgieras (-ses)	surge (no surjas)	surgirías
surja	surgiera (-se)	surja Vd.	surgiría
surjamos	surgiéramos (-semos)	surjamos	surgiríamos
surjáis	surgierais (-seis)	surgid (no surjáis)	surgiríais
surjan	surgieran (-sen)	surjan Vds.	surgirían

infinitivo: surgir   **gerundio:** surgiendo   **participio:** surgido

teñir farbować, barwić

Tematyczne **e** zmienia się w **i**, jeśli następna sylaba nie zawiera **i** lub zawiera je w dyftongu; w formach, w których końcówka ma dyftong **ie** lub **io**, po **ñ** zanika **i**; drugi imiesłów używany jest tylko w znaczeniu przymiotnikowym.

Indicativo

presente	imperfecto	pret. indef.	futuro
tiño	teñía	teñí	teñiré
tiñes	teñías	teñiste	teñirás
tiñe	teñía	tiñó	teñirá
teñimos	teñíamos	teñimos	teñiremos
teñís	teñíais	teñisteis	teñiréis
tiñen	teñían	tiñeron	teñirán

Subjuntivo   ### Imperativo

presente	imperfecto		condicional
tiña	tiñera (-se)	–	teñiría
tiñas	tiñeras (-ses)	tiñe (no tiñas)	teñirías
tiña	tiñera (-se)	tiña Vd.	teñiría
tiñamos	tiñéramos (-semos)	tiñamos	teñiríamos
tiñáis	tiñerais (-seis)	teñid (no tiñáis)	teñiríais
tiñan	tiñeran (-sen)	tiñan Vds.	teñirían

infinitivo: teñir   **gerundio:** tiñendo   **participio:** teñido, tinto

Trzecia koniugacja

transferir/trasferir *transferować*

Czasowniki synonimiczne, różnią się tylko przedrostkiem.

Indicativo

presente	imperfecto	pret. indef.	futuro
transfiero	transfería	transferí	transferiré
transfieres	transferías	transferiste	transferirás
transfiere	transfería	transfirió	transferirá
transferimos	transferíamos	transferimos	transferiremos
transferís	transferíais	transferisteis	transferiréis
transfieren	transferían	transfirieron	transferirán

Subjuntivo · Imperativo

presente	imperfecto		condicional
transfiera	transfiriera (-se)	–	transferiría
transfieras	transfirieras (-ses)	transfiere (no transfieras)	transferirías
transfiera	transfiriera (-se)	transfiera Vd.	transferiría
transfiramos	transfiriéramos (-semos)	transfiramos	transferiríamos
transfiráis	transfirierais (-seis)	transferid (no transfiráis)	transferiríais
transfieran	transfirieran (-sen)	transfieran Vds.	transferirían

infinitivo: transferir **gerundio:** transfiriendo **participio:** transferido

venir *przychodzić, przybywać*

Indicativo

presente	imperfecto	pret. indef.	futuro
vengo	venía	vine	vendré
vienes	venías	viniste	vendrás
viene	venía	vino	vendrá
venimos	veníamos	vinimos	vendremos
venís	veníais	vinisteis	vendréis
vienen	venían	vinieron	vendrán

Subjuntivo · Imperativo

presente	imperfecto		condicional
venga	viniera (-se)	–	vendría
vengas	vinieras (-ses)	ven (no vengas)	vendrías
venga	viniera (-se)	venga Vd.	vendría
vengamos	viniéramos (-semos)	vengamos	vendríamos
vengáis	vinierais (-seis)	venid (no vengáis)	vendríais
vengan	vinieran (-sen)	vengan Vds.	vendrían

infinitivo: venir **gerundio:** viniendo **participio:** venido

vestir ubierać

Tematyczne **e** zmienia się w **i**, jeśli następna sylaba nie zawiera **i** lub zawiera je w dyftongu.

Indicativo

presente	imperfecto	pret. indef.	futuro
visto	vestía	vestí	vestiré
vistes	vestías	vestiste	vestirás
viste	vestía	vistió	vestirá
vestimos	vestíamos	vestimos	vestiremos
vestís	vestíais	vestisteis	vestiréis
visten	vestían	vistieron	vestirán

Subjuntivo

Imperativo

presente	imperfecto		condicional
vista	vistiera (-se)	–	vestiría
vistas	vistieras (-ses)	viste (no vistas)	vestirías
vista	vistiera (-se)	vista Vd.	vestiría
vistamos	vistiéramos (-semos)	vistamos	vestiríamos
vistáis	vistierais (-seis)	vestid (no vistáis)	vestiríais
vistan	vistieran (-sen)	vistan Vds.	vestirían

infinitivo: vestir   **gerundio:** vistiendo   **participio:** vestido

zaherir upokarzać, ranić

Indicativo

presente	imperfecto	pret. indef.	futuro
zahiero	zahería	zaherí	zaheriré
zahieres	zaherías	zaheriste	zaherirás
zahiere	zahería	zahirió	zaherirá
zaherimos	zaheríamos	zaherimos	zaheriremos
zaherís	zaheríais	zaheristeis	zaheriréis
zahieren	zaherían	zahirieron	zaherirán

Subjuntivo

Imperativo

presente	imperfecto		condicional
zahiera	zahiriera (-se)	–	zaheriría
zahieras	zahirieras (-ses)	zahiere (no zahieras)	zaherirías
zahiera	zahiriera (-se)	zahiera Vd.	zaheriría
zahiramos	zahiriéramos (-semos)	zahiramos	zaheriríamos
zahiráis	zahirierais (-seis)	zaherid (no zahiráis)	zaheriríais
zahieran	zahirieran (-sen)	zahieran Vds.	zaherirían

infinitivo: zaherir   **gerundio:** zahiriendo   **participio:** zaherido

133

Trzecia koniugacja

zurcir *cerować*

W 1. os. *presente indicativo*, w *presente subjuntivo* oraz w *imperativo*
c przed a i o wymienia się na z.

Indicativo

presente	imperfecto	pret. indef.	futuro
zurzo	zurcía	zurcí	zurciré
zurces	zurcías	zurciste	zurcirás
zurce	zurcía	zurció	zurcirá
zurcimos	zurcíamos	zurcimos	zurciremos
zurcís	zurcíais	zurcisteis	zurciréis
zurcen	zurcían	zurcieron	zurcirán

Subjuntivo

Imperativo

presente	imperfecto		condicional
zurza	zurciera (-se)	–	zurciría
zurzas	zurcieras (-ses)	zurce (no zurzas)	zurcirías
zurza	zurciera (-se)	zurza Vd.	zurciría
zurzamos	zurciéramos (-semos)	zurzamos	zurciríamos
zurzáis	zurcierais (-seis)	zurcid (no zurzáis)	zurciríais
zurzan	zurcieran (-sen)	zurzan Vds.	zurcirían

infinitivo: zurcir   **gerundio:** zurciendo   **participio:** zurcido

Czasowniki używane tylko w wybranych formach

fluir płynąć, cieknąć

Nieakcentowane **i** między samogłoskami zmienia się w **y**.

Indicativo

presente	imperfecto	pret. indef.	futuro
fluye	fluía	fluyó	fluirá

Subjuntivo | | **Imperativo** | |

presente	imperfecto		condicional
fluya	fluyera (-se)	–	fluiría

infinitivo: fluir **gerundio:** fluyendo **participio:** fluido

granizar padać (o gradzie)

z przed **e** zmienia się w **c**.

Indicativo

presente	imperfecto	pret. indef.	futuro
graniza	granizaba	granizó	granizará

Subjuntivo | | **Imperativo** | |

presente	imperfecto		condicional
granice	granizara (-se)	–	granizaría

infinitivo: granizar **gerundio:** granizando **participio:** granizado

hay que trzeba

Forma bezosobowa używana jako 3 os. lp., od czasownika posiłkowego *haber (que)*.

Indicativo

presente	imperfecto	pret. indef.	futuro
hay que	había que	hubo que	habrá que

Subjuntivo | | **Imperativo** | |

presente	imperfecto		condicional
haya que	hubiera que	–	habría que

Czasowniki dotyczące zjawisk przyrody występują zazwyczaj tylko w 3 os. lp.

Czasowniki używane tylko w wybranych formach

helar *marznąć*

W innych znaczeniach – *zamrażać, mrozić* – istnieją pozostałe formy odmiany; akcentowane **e** w temacie przechodzi w **ie**.

Indicativo

presente	imperfecto	pret. indef.	futuro
hiela	helaba	heló	helará

Subjuntivo   **Imperativo**

presente	imperfecto		condicional
hiele	helara (-se)	–	helaría

infinitivo: helar   **gerundio:** helando   **participio:** helado

llover *padać (o deszczu)*

Akcentowane **o** w temacie przechodzi w **ue**.

Indicativo

presente	imperfecto	pret. indef.	futuro
llueve	llovía	llovió	lloverá

Subjuntivo   **Imperativo**

presente	imperfecto		condicional
llueva	lloviera (-se)	–	llovería

infinitivo: llover   **gerundio:** lloviendo   **participio:** llovido

nevar *padać (o śniegu)*

Akcentowane **e** w temacie przechodzi w **ie**.

Indicativo

presente	imperfecto	pret. indef.	futuro
nieva	nevaba	nevó	nevará

Subjuntivo   **Imperativo**

presente	imperfecto		condicional
nieve	nevara (-se)	–	nevaría

infinitivo: nevar   **gerundio:** nevando   **participio:** nevado

Czasowniki używane tylko w wybranych formach

tronar *grzmieć*

Akcentowane **o** w temacie przechodzi w **ue**.

Indicativo

presente	imperfecto	pret. indef.	futuro
truena	tronaba	tronó	tronará

Subjuntivo   **Imperativo**

presente	imperfecto		condicional
truene	tronara (-se)	–	tronaría

infinitivo: tronar   **gerundio:** tronando   **participio:** tronado

Czasownik zwrotny

formas simples

Indicativo

presente	imperfecto	pret. indef.	futuro
me lavo	me lavaba	me lavé	me lavaré
te lavas	te lavabas	te lavaste	te lavarás
se lava	se lavaba	se lavó	se lavará
nos lavamos	nos lavábamos	nos lavamos	nos lavaremos
os laváis	os lavabais	os lavasteis	os lavaréis
se lavan	se lavaban	se lavaron	se lavarán

Subjuntivo

Imperativo

presente	imperfecto		condicional
me lave	me lavara (lavase)	–	me lavaría
te laves	te lavaras (-ses)	lávate	te lavarías
se lave	se lavara (-se)	lávese Vd.	se lavaría
nos lavemos	nos laváramos (-semos)	lavémonos	nos lavaríamos
os lavéis	os lavarais (-seis)	lavaos	os lavaríais
se laven	se lavaran (-sen) lávate	lávense Vds.	se lavarían

infinitivo: lavarse   **gerundio:** lavándose

formas compuestas

Indicativo

pret. perf.	pluscuamp.	pret. ant.	fut. perf.
me he lavado	me había lavado	me hube lavado	me habré lavado
te has lavado	te habías lavado	te hubiste lavado	te habrás lavado
se ha lavado	se había lavado	se hubo lavado	se habrá lavado
nos hemos lavado	nos habíamos lavado	nos hubimos lavado	nos habremos lavado
os habéis lavado	os habíais lavado	os hubisteis lavado	os habréis lavado
se han lavado	se habían lavado	se hubieron lavado	se habrán lavado

Subjuntivo

pret. perf.	pluscuamp.	cond. perf.
me haya lavado	me hubiera (hubiese) lavado	me habría lavado
te hayas lavado	te hubieras (-ses) lavado	te habrías lavado
se haya lavado	se hubiera (-se) lavado	se habría lavado
nos hayamos lavado	nos hubiéramos (-semos) lavado	nos habríamos lavado
os hayáis lavado	os hubierais (-seis) lavado	os habríais lavado
se hayan lavado	se hubieran (-sen) lavado	se habrían lavado

infinitivo perf.: haberse lavado   **gerundio perf.:** habiéndose lavado

Strona bierna

Indicativo

presente ————— soy invitado, -a *jestem zapraszany/-a itd.*
somos invitados, -as

imperfecto ————— era invitado, -a *byłem zapraszany/byłam zapraszana itd.*
éramos invitados, -as

pret. indef. ————— fui invitado, -a *zostałem zaproszony/zostałam zaproszona itd.*
fuimos invitados, -as

pret. perf. ————— he sido invitado, -a *zostałem zaproszony/zostałam zaproszona itd.*
hemos sido invitados, -as

pluscuamp. ————— había sido invitado, -a *zostałem zaproszony/zostałam*
zaproszona itd. (już wcześniej).
habíamos sido invitados, -as

pret. ant. ————— hube sido invitado, -a *zostałem zaproszony/zostałam*
zaproszona itd. (tuż przed).
hubimos sido invitados, -as

futuro ————— seré invitado, -a *będę zaproszony/-a itd.*
seremos invitados, -as

fut. perf. ————— habré sido invitado, -a *zostanę zaproszony/-a itd.*
habremos sido invitados, -as

condicional ————— sería invitado, -a *zostałbym zaproszony/zostałabym*
zaproszona//byłbym zapraszany/byłabym zapraszana itd.
seríamos invitados, -as

cond. perf. ————— habría sido invitado, -a *zostałbym zaproszony/zostałabym*
zaproszona itd. (do pewnego momentu w przyszłości)
habríamos sido invitados, -as

infinitivo ————— ser invitado, -a *być zaproszonym/zapraszanym*

infinitivo perf. ——— haber sido invitado, -a *zostać zapraszanym*

gerundio ————— siendo invitado, -a *będąc zapraszanym/zostając zaproszonym*

gerundio perf. ——— habiendo sido invitado, -a *zostawszy zaproszonym*

139

Strona bierna

Subjuntivo

presente —————— sea invitado, -a *byłbym zaproszony/jakobym był zaproszony itd.*
seamos invitados, -as

imperfecto —————— fuera (fuese) invitado, -a *byłbym zaproszony itd.*
(w przeszłości)
fuéramos (fuésemos) invitados, -as

pret. perf. —————— haya sido invitado, -a *zostałbym zaproszony itd.*
(w przeszłości)
hayamos sido invitados, -as

pluscuamp. —————— hubiera (hubiese) sido invitado, -a *zostałbym zaproszony itd.*
(wcześniej) hubiéramos (hubiésemos)
sido invitados, -as

Rekcja czasowników hiszpańskich

a. c. = **alguna cosa** coś   **ac.** = **acusativo** biernik
alg. = **alguien** ktoś   **inf.** = **infinitivo** bezokolicznik

abstenerse de + inf. _____	powstrzymywać się od
abusar de a. c./alg. _____	nadużywać czegoś/napastować kogoś
acabar con a. c./alg. _____	położyć czemuś kres
~ **de** + inf. _____	dopiero co coś zrobić
~ **por** + inf. _____	nareszcie coś zrobić
~ **+** gerundio _____	nareszcie zrobić/stać się
acertar con a. c./alg. _____	znaleźć/wybrać kogoś/coś
acordarse de a. c./alg. _____	przypominać sobie o czymś/kimś
acostumbrarse a a. c/alg. _____	przyzwyczaić się do czegoś/kogoś
~ **a** + inf. _____	przyzwyczaić się do robienia czegoś
admirarse de/ante/por a. c. _____	dziwić się czemuś
agradecer a. c. **a** alg. **quedar agradecido a** alg. **por** a. c. }	dziękować komuś za coś
alegrarse de/con/por a. c. _____	cieszyć się z czegoś
amenazar a alg. _____	grozić komuś
~ **con** a. c. _____	grozić czymś
andar + gerundio _____	robić coś powtórnie/ciągle
~ **+** participio _____	być zrobionym
aprovecharse de a. c./alg. _____	wykorzystywać coś/kogoś
arrepentirse de a. c. _____	żałować czegoś
asistir a alg. _____	pomagać komuś/wspierać kogoś
~ **a** _____	uczestniczyć/być obecnym w
asomarse a _____	wyglądać z
asustarse de/por a. c. _____	wystraszyć się czegoś; bać się czegoś
atreverse a a. c. _____	ośmielić się
~ **a** + inf. _____	ośmielić się coś zrobić
~ **con** a. c./alg. _____	odważyć się zrobić coś/z kimś
ayudar a alg. _____	pomagać komuś
~ **a** + inf. _____	przyczynić się do zrobienia czegoś
bajar por la escalera _____	iść schodami w dół
bastar con a. c. _____	wystarczać
i**basta de bromas!** _____	dosyć żartów!
burlarse de a. c./alg. _____	naśmiewać się z czegoś/kogoś
caer en a. c. _____	wpaść na coś (np. pomysł)
cambiar a. c. **por/con otra** _____	zamieniać coś na coś
~ **de** a. c. _____	zmieniać coś (np. miejsce)
~ **de tren** _____	przesiadać się
cambiarse de ropa _____	przebierać się
casarse con alg. _____	żenić się z/wychodzić za mąż za
coger a alg. **de la mano** _____	brać kogoś za rękę

141

Rekcja czasowników hiszpańskich

comenzar a + inf. _____	zaczynać coś robić
~ por a. c./alg. _____	zaczynać coś/z kimś
componerse de _____	składać się z
concentrarse en a. c./alg. _____	koncentrować się na czymś/kimś
confiar en a. c./alg. _____	ufać, polegać na czymś/kimś
conseguir + inf. _____	osiągać, móc coś zrobić
consentir en a. c. _____	zgadzać się na coś
consistir en a. c. _____	składać się z
constar de _____	składać się z
contar con alg. _____	liczyć na kogoś
~ con a. c. _____	dysponować czymś
contestar a una pregunta _____	odpowiadać na pytanie
~ a alg. _____	odpowiadać komuś
continuar + gerundio _____	kontynuować coś/trwać dalej
contradecir a alg. _____	sprzeciwiać się/przeczyć komuś
convenir con alg. en a. c. _____	uzgodnić coś z kimś
convidar a alg. a a. c. _____	zapraszać
corregirse de a. c. _____	poprawiać coś
creer en a. c./alg. _____	wierzyć w coś
cuidar a alg. _____	pielęgnować kogoś
~ de a. c./alg. _____	troszczyć się o coś/kogoś
cumplir con a. c./alg. _____	spełniać coś (obowiązek)/odwdzięczać się komuś
deber de + inf. _____	przypuszczalnie być/robić
dar las gracias a alg. por a. c. _____	dziękować komuś za coś
darle a uno por + inf. _____	przyjść komuś na myśl, by
deberse a a. c. _____	być spowodowanym
decidirse en favor de alg. _____	decydować się na kogoś
~ por a. c./alg. _____	decydować się na coś/na kogoś
~ a + inf. _____	decydować się coś zrobić
dedicarse a a. c. _____	poświęcać się czemuś
dejar de + inf. _____	przestawać coś robić
no ~ de + inf. _____	nie przestawać czegoś robić
~ + participio _____	zrobić coś kompletnie
~se de a. c. _____	zaniedbywać coś
~se de rodeos _____	nie owijać w bawełnę, przejść do rzeczy
desconfiar de a. c./alg. _____	nie ufać czemuś/komuś/wątpić w
descuidarse de a. c. _____	zaniedbywać coś, nie troszczyć się o
disculparse con alg. de/por a. c. _____	tłumaczyć się przed kimś z czegoś/ /przepraszać za coś
disfrazarse de _____	przebierać się za
disfrutar de a. c. _____	korzystać z czegoś, rozkoszować się czymś
disponer de a. c./alg. _____	dysponować czymś/mieć kogoś do dyspozycji
dudar de a. c./alg. _____	wątpić w coś/kogoś

echar(se) a + inf. _____	zaczynać coś robić
empeñarse en + inf. _____	upierać się przy
empezar a + inf. _____	zaczynać coś robić
~ **por/con** _____	zaczynać coś/z kimś
enamorarse de alg. _____	zakochać się w kimś
encargarse de a. c. _____	przejmować coś
encontrar a alg. _____	spotykać kogoś
~**se con a. c.** _____	znajdować coś
enterarse de a. c. _____	dowiadywać się o czymś
equivocarse de _____	pomylić
esforzarse en/por hacer a. c. _____	starać się o coś
estar + gerundio _____	właśnie coś robić
~ + participio _____	zrobić coś/zostać zrobionym
~ **para** + inf. _____	zabierać się do
~ **por** + inf. _____	musieć zostać zrobionym
~ **sin** + inf. _____	jeszcze nie być zrobionym/nie robić
faltar a a. c. _____	być nieobecnym przy; nie dotrzymywać (słowa)
~ **por** + inf. _____	być do załatwienia
fijarse en a. c./alg. _____	zwracać uwagę na
gozar de a. c. _____	cieszyć się czymś, korzystać z
haber que + inf. _____	musieć; trzeba
~ **de** + inf. _____	musieć
hacerse de rogar _____	pozwalać się prosić
inscribirse en _____	wpisać się
insistir en a. c. _____	obstawać przy
ir a _____	iść/jechać do
~ **de fiesta/vacaciones/copas...** _____	iść/jechać świętować/na urlop/pić
~ **para viejo** _____	starzeć się
~ + gerundio _____	coraz bardziej + czasownik
~ + participio _____	(dokonana strona bierna)
~ **a** + inf. _____	coś zrobić/mieć zrobić
jactarse de _____	przechwalać się czymś
jugar a a. c. _____	grać
liarse a + inf. _____	zacząć coś robić (z zapałem)
~ **con alg.** _____	być w związku z kimś, mieć romans z
~ **con a. c.** _____	wplątać się w coś
limitar con _____	graniczyć z
llamar de tú a alg. _____	mówić komuś na „ty"
llegar a a. c. _____	osiągnąć coś
~ **a** + inf. _____	wreszcie + czasownik
llevar + gerundio _____	robić coś już od...
~ + participio _____	zrobić coś, mieć coś zrobione
meterse en a. c. _____	zajmować się czymś, mieszać się w coś
~ **a** + inf. _____	zabierać się za coś

Rekcja czasowników hiszpańskich

negarse a + inf.	wzbraniać się przed czymś
oler a	pachnieć czymś
olvidar a. c./a alg	zapomnieć o czymś/kimś
~se de a. c./alg.	zapomnieć o czymś/kimś
~se de + inf.	zapomnieć coś zrobić
parar de + inf.	przestawać coś robić
parecerse a a. c./alg.	być podobnym do czegoś/kogoś
participar en a. c.	brać udział w
partir para (España)	wyjeżdżać do
pasar a + inf.	przechodzić do robienia czegoś
~ por alg.	przejść jako
~ por Madrid	jechać przez Madryt
~ por a. c.	znosić coś
poder ~ sin a. c.	obejść się bez czegoś
pedir a. c. a alg.	prosić kogoś o coś
pensar en a. c./alg.	myśleć o czymś/kimś
~(en) + inf.	zamierzać coś zrobić
perdonar a alg. por a. c.	wybaczyć komuś coś
pertenecer a a. c./alg.	należeć do
ponerse a + inf.	zaczynać, zabierać się za
~ en camino para	wybierać się w drogę do
preceder a alg.	wyprzedzać kogoś
preguntar por a. c./alg.	pytać o coś/kogoś
quedar con alg.	umówić się z kimś
~ en + inf.	uzgodnić coś
+ gerundio	kontynuować coś
~ + participio	(skutek procesu w stronie biernej)
~ se sin a. c./alg.	nie mieć już czegoś/kogoś
~ sin + inf.	pozostać bez, być niezałatwionym
recordar a. c.	przypominać sobie o czymś
~ a alg.	przypominać sobie o kimś
~ a. c. a alg.	przypominać komuś o czymś
referirse a a. c./alg.	odnosić się do czegoś/kogoś
reírse de a. c./alg.	śmiać się, żartować sobie z czegoś/kogoś
renunciar a a. c.	rezygnować z czegoś
resignarse con/a	pogodzić się z czymś
responder a (una pregunta etc.)	odpowiadać na
~ de a. c./alg.	odpowiadać za coś/kogoś
~ por alg.	ręczyć za kogoś
romper a + inf.	zaczynać, zrywać się
saber a. c. de memoria	znać coś na pamięć
saber a	smakować jak
salir de su casa	opuszczać dom, wychodzić
~ + gerundio	zrobić coś nagle

satisfacer a alg. ———————	(u)satysfakcjonować kogoś
seguir a alg. ———————	iść za kimś
~ + gerundio ———————	nadal + czasownik
~ + participio ———————	jeszcze + czasownik, dalej, zostać
ser + participio ———————	zostać (strona bierna)
~ de + inf. ———————	należy, trzeba coś zrobić
servir a alg. (ac.) ———————	służyć komuś
~ de a. c. ———————	służyć jako
~ se de a. c./alg. ———————	posługiwać się czymś/kimś
socorrer a alg. ———————	pomagać komuś
soler + inf ———————	zwykle coś robić, mieć zwyczaj
solicitar a. c. ———————	wyprosić coś, starać się/ubiegać się o coś
soñar con a. c./alg. ———————	śnić/marzyć o czymś/kimś
sospechar de a. c./alg ———————	podejrzewać kogoś o coś
tardar (una hora etc.) en + inf. ——	potrzebować (godzinę) czasu zanim/aż...
~ en llegar ———————	kazać (długo) na siebie czekać
~ en volver ———————	długo nie następować
no ~ en + inf. ———————	wkrótce zrobić coś
tener + participio ———————	zrobić coś (zakończyć)
~ que + inf. ———————	musieć
terminar + gerundio ———————	wreszcie zrobić
~ de + inf. ———————	już nie robić, przestać robić coś
traer + participio ———————	zrobić
venir + gerundio ———————	robić od dawna
~ a + inf. ———————	wynosić około/mniej więcej
vestir(se) a la moda ———————	ubierać się zgodnie z modą
~ de uniforme ———————	nosić mundur
~ de blanco etc. ———————	być ubranym na biało itd.
volver a + inf. ———————	robić coś od nowa

145

Alfabetyczna lista najważniejszych czasowników

Lista zawiera czasowniki hiszpańskie oraz ich główne znaczenie. Czasowniki uwzględnione w tabelach odmian wyróżniono kolorem szarym; podano też przy nich numer strony, na której znajduje się dana odmiana. Przy pozostałych czasownikach zamieszczono odsyłacz do wzorca odmiany

Używane skróty: *zob.* – zobacz, *os.* – osoba, *lp.* – liczba pojedyncza, *lm.* – liczba mnoga.

A

abandonar *zob.* **comprar** zostawiać
abanicar wachlować 11
abarcar *zob.* **abanicar** obejmować
abastecer zaopatrywać (w żywność) 57
abatir *zob.* **recibir** obalić
abdicar abdykować 11
abnegar *zob.* **fregar** wyrzekać się
abogar *zob.* **ahogar** wstawiać się za kimś
abolir znosić 92
aborrecer nienawidzić, czuć wstręt 57
abrazar obejmować 12
abreviar *zob.* **comprar** skracać
abrigar *zob.* **ahogar** chronić
abrir otwierać 92
abrochar *zob.* **comprar** zapinać
abrogar *zob.* **ahogar** uchylać
absolver uniewinniać, rozgrzeszać 58
absorber absorbować 58
abstenerse *zob.* **tener** powstrzymać się
abstraer *zob.* **traer** abstrahować
aburrir *zob.* **recibir** nudzić
acabar *zob.* **comprar** kończyć
acaecer *zob.* **conocer** zdarzyć się
acallar *zob.* **comprar** zmusić do milczenia
acariciar *zob.* **comprar** pieścić
acceder *zob.* **vender** zgadzać się
acentuar akcentować 12
aceptar *zob.* **comprar** akceptować
acercar *zob.* **abdicar** zbliżać
acertar *zob.* **pensar** trafić
acoger *zob.* **coger** przyjmować
acometer *zob.* **vender** atakować
acompañar *zob.* **comprar** towarzyszyć
aconsejar radzić, doradzać 13
acontecer *zob.* **conocer** zdarzać się

acopiar *zob.* **comprar** kopiować
acorazar *zob.* **cazar** opancerzyć
acordar uzgadniać, postanawiać 13
acostar kłaść (do łóżka) 14
acrecentar *zob.* **pensar** zwiększać
acrecer *zob.* **conocer** zwiększać
actuar działać 14
acusar *zob.* **comprar** oskarżać
achacar *zob.* **abdicar** zarzucać
achicar *zob.* **abdicar** zmniejszać
adelgazar *zob.* **cazar** schudnąć
aderezar *zob.* **cazar** upiększyć, przyprawiać
adherir przylegać 93
adjudicar *zob.* **abdicar** przyznawać
admirar *zob.* **comprar** podziwiać
admitir *zob.* **recibir** przyjmować
adolecer *zob.* **conocer** boleć
adoptar *zob.* **comprar** adoptować
adormecer *zob.* **conocer** usypiać
adorar *zob.* **comprar** adorować
adquirir uzyskiwać 93
aducir przytaczać 94
advertir ostrzegać 94
afianzar *zob.* **cazar** podpierać
afligir *zob.* **surgir** martwić
afluir *zob.* **huir** spływać
afrontar *zob.* **comprar** stawiać czoła
agenciar *zob.* **comprar** zabiegać
agonizar *zob.* **cazar** konać
agorar przepowiadać, wróżyć 15
agradecer dziękować 59
agraviar *zob.* **comprar** obrażać
agredir napadać 95
agregar *zob.* **ahogar** zbierać
agriar *zob.* **comprar** zakwaszać
aguzar *zob.* **cazar** ostrzyć
ahogar topić 15
ahorcar *zob.* **abdicar** powiesić
ahorrar *zob.* **comprar** oszczędzać
ajusticiar *zob.* **comprar** wykonać wyrok śmierci

alargar *zob.* **ahogar** wydłużyć
alcanzar dosięgnąć 16
alegar *zob.* **ahogar** powoływać się
alegrar *zob.* **comprar** cieszyć
alejar oddalać 16
alentar *zob.* **pensar** oddychać
alimentar *zob.* **comprar** karmić
aliviar *zob.* **comprar** ulżyć
almohazar *zob.* **alzar** czyścić zgrzebłem
almorzar jeść obiad/drugie śniadanie 17
alquilar *zob.* **comprar** wynajmować
alterar *zob.* **comprar** zmieniać
altercar *zob.* **abdicar** sprzeczać się
alternar *zob.* **comprar** robić coś na przemian
aludir *zob.* **recibir** robić aluzję
alzar *zob.* **alcanzar** wstawać
amanecer *zob.* **conocer** świtać
amargar *zob.* **ahogar** mieć gorzki smak
amenazar *zob.* **alcanzar** grozić
amenguar *zob.* **apaciguar** zmniejszać
amnistiar *zob.* **comprar** ułaskawić
amontonar *zob.* **comprar** gromadzić
amortecer *zob.* **conocer** osłabiać
amortiguar *zob.* **apaciguar** przytłumić
amortizar *zob.* **cazar** amortyzować
ampliar *zob.* **comprar** rozszerzać
amplificar *zob.* **abdicar** zwiększać
analizar analizować 17
anatemizar *zob.* **cazar** rzucać klątwę
andar iść 18
animar *zob.* **comprar** pobudzać
anochecer *zob.* **conocer** zmierzchać się
ansiar *zob.* **comprar** pragnąć

146

Alfabetyczna lista najważniejszych czasowników

anteceder *zob.* **vender**
poprzedzać
anteponer *zob.* **poner**
przedkładać
anunciar *zob.* **comprar** ogłaszać
añadir *zob.* **recibir** dodawać
apacentar paść (bydło) 18
apaciguar uspokajać 19
apagar *zob.* **ahogar** gasić
aparcar *zob.* **abdicar** parkować
aparecer pojawiać się,
wydawać się 59
apercibir *zob.* **recibir**
przestrzegać
apetecer *zob.* **conocer** pragnąć
aplaudir *zob.* **recibir**
oklaskiwać
aplazar odroczyć 19
aplicar *zob.* **abdicar** stosować
apostar *zob.* **acordar** zakładać
się
apoyar *zob.* **comprar** opierać
apreciar *zob.* **comprar**
szanować
aprender *zob.* **vender** uczyć się
apretar *zob.* **pensar** ściskać
aprobar *zob.* **acordar** zdać
egzamin
aprovechar *zob.* **comprar**
przynosić korzyść;
wykorzystać
apuntar *zob.* **comprar** celować,
notować
arder *zob.* **vender** płonąć
argüir wnioskować 95
armonizar *zob.* **cazar**
harmonizować
aromatizar *zob.* **cazar**
aromatyzować
arrancar *zob.* **abdicar** zapalać
silnik; wyrwać
arreglar *zob.* **comprar**
uporządkować
arremeter *zob.* **vender**
zaatakować gwałtownie
arrendar *zob.* **pensar** oddać
w dzierżawę
arrepentirse *zob.* **sentir** żałować
arriesgar *zob.* **ahogar**
ryzykować
arrogar *zob.* **ahogar**
przywłaszczyć sobie
arrojar *zob.* **comprar** rzucać
arrostrar *zob.* **comprar** stawiać
czoło
arrugar *zob.* **ahogar** marszczyć
ascender wspinać się,
awansować 60
asegurar *zob.* **comprar**
zabezpieczać

asentar *zob.* **pensar**
umieszczać
asentir *zob.* **herir** zgadzać się
z kimś
aserrar *zob.* **pensar** rżnąć
asestar zadać cios 20
asir chwytać 96
asistir *zob.* **recibir** asystować
asociar *zob.* **comprar** zrzeszać
się
asolar rujnować 20
asomar *zob.* **comprar** wychylać
się
atacar *zob.* **abdicar** atakować
atardecer *zob.* **conocer**
zmierzchać
atemorizar *zob.* **cazar** napawać
lękiem
atender uważać 60
atenerse *zob.* **tener** obstawać
przy czymś
atenuar *zob.* **actuar** łagodzić
aterrizar *zob.* **cazar** lądować
aterrorizar *zob.* **cazar** przerażać
atestar *zob.* **pensar**
zaświadczać
atestiguar *zob.* **apaciguar**
świadczyć w sądzie
atosigar *zob.* **ahogar** przynaglać
atracar *zob.* **abdicar** cumować,
napadać
atraer przyciągać 61
atravesar *zob.* **pensar**
przechodzić, przekraczać
atreverse *zob.* **vender** odważyć
się
atribuir przypisywać 96
aumentar *zob.* **comprar**
zwiększać
ausentarse *zob.* **lavarse** być
nieobecnym
autorizar *zob.* **cazar**
upoważniać
auxiliar wspierać 21
avanzar *zob.* **alcanzar** czynić
postępy; iść
avenir *zob.* **venir** jednać
aventar *zob.* **pensar** wietrzyć
avergonzar zawstydzać 21
averiarse *zob.* **lavarse** psuć się
averiguar *zob.* **apaciguar**
sprawdzać

B

balbucir jąkać się 97
bañar *zob.* **comprar** kąpać
barnizar *zob.* **cazar** lakierować
barrer *zob.* **vender** zamiatać
batir *zob.* **recibir** bić

bautizar chrzcić 22
beber *zob.* **vender** pić
bendecir błogosławić 97
beneficiar *zob.* **comprar**
korzystać
besar *zob.* **comprar** całować
bifurcarse *zob.* **abdicar**
rozwidlać się
bizcar *zob.* **abdicar** zezować
blanquecer *zob.* **conocer**
czyścić
bostezar *zob.* **cazar** ziewać
bregar *zob.* **ahogar** walczyć
brillar *zob.* **comprar** błyszczeć
brincar *zob.* **abdicar**
podskakiwać
broncear *zob.* **comprar**
brązować
brotar *zob.* **comprar** kiełkować
bruñir polerować 98
bullir wrzeć 98
buscar *zob.* **abdicar** szukać

C

caber mieścić się 61
caducar *zob.* **abdicar** tracić
ważność
caer upadać 62
calcar *zob.* **abdicar** kopiować
caldear *zob.* **comprar** ogrzewać
calentar *zob.* **pensar** ogrzewać
calificar *zob.* **abdicar**
kwalifikować
calumniar *zob.* **comprar**
oczerniać
calzar *zob.* **cazar** zakładać buty
callar *zob.* **comprar** być cicho
cambiar *zob.* **comprar**
wymieniać
canalizar *zob.* **cazar**
kanalizować
caracterizar *zob.* **cazar**
charakteryzować
carbonizar *zob.* **cazar** zwęglać
carecer nie mieć, brakować 62
cargar *zob.* **ahogar** obciążać
cascar *zob.* **abdicar** tłuc
castigar *zob.* **ahogar** karać
cazar polować 22
ceder *zob.* **vender** odstępować
cegar *zob.* **fregar** oślepiać
celebrar *zob.* **comprar**
celebrować
cenar *zob.* **comprar** jeść kolację
centralizar *zob.* **cazar**
centralizować
ceñir opasywać 99
cerner przesiewać przez sito 63
cerrar zamykać 23

Alfabetyczna lista najważniejszych czasowników

certificar *zob.* abdicar
 certyfikować
chamuscar *zob.* abdicar
 przypiekać
chapuzar *zob.* cazar podtapiać,
 zanurzać
chillar *zob.* comprar piszczeć
chirriar *zob.* comprar
 skwierczeć
chocar *zob.* abdicar zderzyć się
cicatrizar *zob.* cazar zabliźniać
cimentar cementować 23
circuir *zob.* huir otaczać
circuncidar obrzezać 24
civilizar *zob.* cazar cywilizować
clarificar *zob.* abdicar
 wyjaśniać
clasificar *zob.* abdicar
 klasyfikować
claudicar *zob.* abdicar utykać
cloroformizar *zob.* cazar
 usypiać chloroformem
cobijar *zob.* comprar dawać
 schronienie
cobrar *zob.* comprar pobierać
 pieniądze
cocer gotować 63
codiciar *zob.* comprar pożądać
coger brać 64
coincidir *zob.* recibir zdarzać
 się jednocześnie
cojear *zob.* comprar kuleć
colar cedzić 24
colegir wnioskować 99
colgar wisieć 25
colmar *zob.* comprar wypełniać
 po brzegi
colocar *zob.* abdicar
 umieszczać
colonizar *zob.* cazar
 kolonizować
combatir *zob.* recibir walczyć
comedirse *zob.* vestir
 powstrzymywać się
comentar *zob.* comprar
 komentować
comenzar rozpoczynać 25
comer *zob.* vender jeść
comerciar *zob.* comprar
 handlować
cometer *zob.* vender popełniać
compadecer współczuć 64
comparecer *zob.* conocer
 pojawiać się
compartir *zob.* recibir dzielić
compeler *zob.* vender zmuszać
compendiar *zob.* comprar
 streszczać
compensar *zob.* comprar
 kompensować

competer *zob.* vender podlegać
 (komuś)
competir rywalizować 100
complacer *zob.* placer
 sprawiać przyjemność
complementar *zob.* comprar
 komplementować
completar *zob.* comprar
 kompletować
complicar *zob.* abdicar
 komplikować
componer *zob.* poner
 komponować
comportar *zob.* comprar
 zachowywać się
comprar kupować 10
comprender *zob.* vender
 rozumieć
comprimir *zob.* recibir ściskać
comprobar sprawdzać 26
comprometer *zob.* vender
 kompromitować, wystawiać
 na niebezpieczeństwo
comunicar *zob.* abdicar
 komunikować
concebir koncypować
 (projekt, plan) 100
conceder *zob.* vender
 przyznawać
concentrar *zob.* comprar
 koncentrować
concernir *zob.* hendir dotyczyć
concertar *zob.* pensar ustalać
conciliar *zob.* comprar godzić
concluir kończyć, wnioskować
 101
concordar *zob.* acordar
 uzgadniać
concurrir *zob.* recibir napływać
condescender *zob.* perder
 ulegać
condolerse *zob.* doler
 współczuć
conducir prowadzić, kierować
 samochodem 101
conferenciar *zob.* comprar
 naradzać się
conferir *zob.* sentir nadawać
confesar *zob.* pensar
 spowiadać
confiar ufać 26
confiscar *zob.* abdicar
 konfiskować
confluir *zob.* huir zlewać się
conformar *zob.* comprar
 dostosować się
confortar *zob.* comprar
 wzmacniać
confundir pomylić, pomieszać
 102

congeniar *zob.* comprar mieć
 jednakowe usposobienie
conglobar *zob.* comprar
 skupiać
conglomerar *zob.* comprar
 skupiać
congraciarse *zob.* lavarse
 zyskiwać sympatię
congregar *zob.* ahogar
 jednoczyć
conjugar *zob.* ahogar
 odmieniać
conmemorar *zob.* comprar
 obchodzić rocznicę
conmover *zob.* mover
 wzruszać
conocer znać 65
conseguir osiągać,
 otrzymywać 102
consentir *zob.* sentir zezwalać
conservar *zob.* comprar
 konserwować
considerar *zob.* comprar
 rozważać
consistir (en) *zob.* recibir
 składać się (z); polegać (na)
consolar *zob.* acordar pocieszać
constar *zob.* comprar figurować
constituir *zob.* huir stanowić
constreñir przymuszać 103
construir *zob.* huir budować
consumir *zob.* recibir
 konsumować
contagiar *zob.* comprar zarażać
contar liczyć 27
contemplar *zob.* comprar
 kontemplować
contender *zob.* perder walczyć
contestar *zob.* comprar
 odpowiadać
continuar *zob.* actuar
 kontynuować
contradecir *zob.* decir przeczyć
contraer *zob.* traer zawierać
contrahacer *zob.* hacer
 przedrzeźniać
contravenir *zob.* venir naruszać
contribuir *zob.* huir przyczyniać
 się
controlar *zob.* comprar
 kontrolować
convalecer *zob.* conocer
 wyzdrowieć
convencer przekonywać 65
converger zbiegać się
 w jednym punkcie 66
convergir zbiegać się
 w jednym punkcie 103
convertir przemieniać 104
convocar *zob.* abdicar zwołać

copiar *zob.* comprar kopiować
corregir poprawiać 104
correr *zob.* vender biec
corresponder *zob.* vender
korespondować
corromper psuć się 66
cortar *zob.* comprar ciąć
cosechar *zob.* comprar zbierać
plony
coser szyć 67
costar kosztować 27
crear *zob.* comprar tworzyć
crecer rosnąć 67
creer wierzyć 68
criar *zob.* comprar hodować
cristalizar *zob.* cazar
krystalizować
cristianizar *zob.*
chrystianizować
criticar *zob.* abdicar krytykować
crucificar *zob.* abdicar
ukrzyżować
crujir *zob.* comprar trzeszczeć
cruzar krzyżować 28
cubrir zakrywać 105
cuidar *zob.* comprar dbać
cumplimentar *zob.* comprar
pozdrawiać
cumplir *zob.* recibir spełniać
custodiar *zob.* comprar strzec

D

damnificar *zob.* abdicar
szkodzić
dar dawać 28
debatir *zob.* recibir debatować
deber *zob.* vender być winnym,
musieć
decaer *zob.* caer chylić się ku
upadkowi
decidir *zob.* recibir decydować
decir mówić 105
decorar *zob.* comprar
dekorować
decrecer *zob.* conocer
zmniejszać się
dedicar *zob.* comprar
dedykować
deducir wnioskować 106
defender bronić 68
deferir *zob.* sentir godzić się
degollar podrzynać gardło 29
dejar *zob.* comprar zostawiać
delinquir popełnić
przestępstwo 106
demarcar *zob.* abdicar
wytyczać granicę
demoler *zob.* doler niszczyć
demostrar *zob.* comprar

demonstrować
denegar *zob.* fregar odmawiać
denostar *zob.* comprar
znieważać
denunciar *zob.* comprar
donosić
depender *zob.* vender zależeć
deponer *zob.* poner
zdeponować
depreciar *zob.* comprar obniżać
cenę
deprimir *zob.* recibir
przygnębiać
derrapar *zob.* comprar stracić
panowanie
nad samochodem
derrengar *zob.* ahogar
zwichnąć biodro
derretir rozpuszczać 107
derrocar obalić (rząd, władcę)
29
derruir *zob.* huir niszczyć
desabrochar *zob.* comprar
rozpinać
desacertar *zob.* pensar mylić się
desacordar *zob.* acordar
rozstrajać (instrument)
desafiar *zob.* confiar wyzywać
(na pojedynek)
desagradecer *zob.* agradecer
być niewdzięcznym
desaguar *zob.* comprar
odwadniać
desahogar *zob.* ahogar sprawić
ulgę
desahuciar *zob.* comprar
odbierać nadzieję
desalentar *zob.* pensar
zapierać dech
desalterar *zob.* comprar
uspokajać
desandar *zob.* andar zawracać
z drogi
desanimar *zob.* comprar
zniechęcać
desaparecer *zob.* parecer
znikać
desapreciar *zob.* comprar nie
doceniać
desaprender *zob.* vender
zapomnieć (coś nauczonego)
desaprobar *zob.* acordar nie
aprobować
desarraigar *zob.* ahogar
wyrywać z korzeniami
desarrollar *zob.* comprar
rozwijać
desasear *zob.* comprar brudzić
desasosegar *zob.* fregar
niepokoić się

desatender *zob.* perder nie
zwracać uwagi
desatentar *zob.* pensar
speszyć
desavenir *zob.* venir poróżnić
się (z kimś)
descabezar *zob.* comprar
ścinać głowę
descalificar *zob.* abdicar
dyskwalifikować
descalzar *zob.* cazar
zdejmować buty
descargar *zob.* ahogar
rozładować
descender *zob.* perder
pochodzić; zejść
descentralizar *zob.* cazar
decentralizować
descolgar *zob.* colgar
odwieszać
descollar *zob.* acordar górować
descomedirse *zob.* vestir
rozzuchwalać się
descomponer *zob.* poner
rozłożyć się
desconcertar *zob.* pensar
rozstrajać się
desconfiar *zob.* confiar nie ufać
descongelar *zob.* comprar
rozmrażać
desconocer *zob.* conocer nie
pamiętać
desconsolar *zob.* acordar
trapić się
descontar *zob.* contar odliczać
describir *zob.* recibir opisywać
descubrir *zob.* recibir
odkrywać
desdecir *zob.* decir zaprzeczać
desear *zob.* comprar pragnąć
desecar *zob.* abanicar osuszać
desembarcar *zob.* abanicar
wyładowywać, wysiadać
(ze statku)
desembocar *zob.* abanicar
wpadać do morza (o rzece)
desembragar *zob.* ahogar
rozłączać
desempaquetar *zob.* comprar
rozpakowywać
desempedrar *zob.* pensar
zrywać bruk
desempeñar *zob.* comprar
spełniać
desempolvar *zob.* comprar
odkurzać
desencolarse *zob.* colar
odklejać się
desenlazar *zob.* cazar
rozplątywać

Alfabetyczna lista najważniejszych czasowników

desentenderse *zob.* perder nie
interesować się
desenterrar *zob.* enterrar
ekshumować
desenvolver *zob.* volver
rozwijać
desfallecer *zob.* conocer
osłabiać
desflorecer *zob.* conocer
przekwitać
desfogarse *zob.* ahogar dawać
upust
desguazar *zob.* cazar
rozmontowywać
deshabituar *zob.* comprar
odzwyczajać się
deshacer *zob.* hacer niszczyć,
likwidować
deshelar *zob.* pensar rozmrażać
desherrar *zob.* pensar rozkuć
kajdany
desistir (de) *zob.* recibir
zaprzestać
desleír rozpuszczać 107
desliar *zob.* comprar
rozpakowywać; rozwiązywać
desligar *zob.* ahogar
rozwiązywać
deslizar *zob.* cazar ślizgać się
deslucir *zob.* lucir pozbawiać
połysku
desmembrar *zob.* pensar
dzielić na części
desmentir *zob.* mentir
zaprzeczać
desmerecer *zob.* conocer nie
być wartym
desnaturalizar *zob.* cazar
pozbawić obywatelstwa
desobedecer *zob.* conocer być
nieposłusznym
desobligar *zob.* ahogar
zwalniać z obowiązku
desoír *zob.* oír nie słuchać
desolar *zob.* acordar pustoszyć
desollar *zob.* acordar ściągać
skórę
desorganizar *zob.* cazar
dezorganizować
despedazar *zob.* cazar
rozrywać na kawałki
despedir żegnać 108
despegar *zob.* ahogar
oddzielać
despeñar *zob.* comprar strącać
w przepaść
despertar budzić 30
desplegar *zob.* fregar rozkładać
despoblar *zob.* acordar
wyludniać

despreciar *zob.* comprar nie
doceniać
desprender *zob.* vender
odrywać
destacar *zob.* abdicar wyróżniać
desteñir *zob.* teñir odbarwiać
desterrar *zob.* enterrar
ekshumować
destituir *zob.* huir pozbawiać
destorcer *zob.* cocer rozkręcać
destronar *zob.* acordar
detronizować
destrozar niszczyć 30
destruir *zob.* huir niszczyć
desvaírse blaknąć 108
desvanecer *zob.* conocer
rozpraszać
detener *zob.* tener zatrzymać
devolver zwracać 69
diferir różnić się 109
difundir roznosić,
rozpowszechniać 109
digerir *zob.* sentir trawić
dirigir kierować 110
discernir rozróżniać 110
discordar *zob.* acordar nie
zgadzać się
discutir *zob.* recibir
dyskutować
disentir *zob.* sentir być innego
zdania
disfrazar *zob.* cazar przebrać
disfrutar *zob.* comprar
korzystać
disgregar *zob.* ahogar
rozłączać
disminuir *zob.* huir zmniejszać
disociar *zob.* comprar
rozłączać
disolver *zob.* volver rozpuszczać
dispensar *zob.* comprar
rozdawać
disponer dysponować 69
distinguir rozróżniać 111
distraer *zob.* traer zabawiać
distribuir *zob.* huir rozdzielać
disuadir *zob.* recibir odradzać
divagar *zob.* ahogar rozwodzić
divertir *zob.* sentir bawić się
dividir *zob.* recibir dzielić
divulgar *zob.* ahogar
rozgłaszać
doblar *zob.* comprar zginać,
skręcać
doblegar *zob.* ahogar zginać
doler boleć 70
domesticar *zob.* abdicar
oswajać
domiciliar *zob.* comprar dawać
mieszkanie

dormir spać 111
dragar *zob.* ahogar pogłębiać
dramatizar *zob.* cazar
dramatyzować
drogarse *zob.* ahogar
narkotyzować się
dulcificar *zob.* abdicar słodzić
duplicar *zob.* abdicar podwajać

E

economizar *zob.* cazar
oszczędzać
echar *zob.* comprar rzucać
edificar *zob.* abdicar budować
educar *zob.* abdicar edukować
ejercer *zob.* vencer wykonywać
elegir wybierać 112
elevar *zob.* comprar wznosić
elogiar *zob.* comprar chwalić
eludir *zob.* recibir unikać
embarazar *zob.* cazar
przeszkadzać, zapłodnić
embarcar *zob.* abdicar
zaokrętować
embargar *zob.* ahogar
powstrzymywać; zajmować
(coś)
embarrancarse *zob.* abdicar
osiąść na mieliźnie
embeber *zob.* vender
wchłaniać
embellecer *zob.* conocer
upiększyć
embestir *zob.* vestir atakować
emblandecer *zob.* conocer
zmiękczać
emblanquecer *zob.* conocer
bielić
embodegar *zob.* ahogar
składać w piwnicy
emboscarse *zob.* abdicar
ukrywać się
embozar(se) *zob.* cazar
zasłaniać twarz
embragar *zob.* ahogar włączać
sprzęgło
embravecerse *zob.* conocer
złościć się
embriagar *zob.* ahogar upoić
embriagarse *zob.* ahogar upić
się
embrutecer *zob.* conocer
ogłupiać
embrutecerse *zob.* conocer
głupieć, tumanieć
emerger wynurzać się 70
emitir *zob.* recibir emitować
empacar *zob.* abdicar
pakować

Alfabetyczna lista najważniejszych czasowników

empalidecer *zob.* **conocer**
blednąć
empedrar *zob.* **pensar**
brukować
empeñar *zob.* **comprar**
zastawiać
empeñarse *zob.* **lavarse**
angażować się
empeorar **zob** **comprar**
pogorszyć
empequeñecer *zob.* **conocer**
zmniejszyć
empezar zaczynać 31
emplazar *zob.* **cazar** pozywać
do sądu
emplear *zob.* **comprar**
zatrudniać; używać
empobrecer *zob.* **conocer**
ubożeć
emporcar *zob.* **trocar** brudzić
emprender *zob.* **vender**
przedsiębrać
enaltecer *zob.* **conocer**
wywyższać
enardecer *zob.* **conocer**
rozpalać
encabezar *zob.* **cazar**
rejestrować
encanecer *zob.* **conocer**
osiwieć
encarecer *zob.* **conocer**
zdrożeć
encargar *zob.* **ahogar** obarczać
kogoś
encargarse (de) *zob.* **ahogar**
podjąć się czegoś
encender zapalić 71
encerrar *zob.* **cerrar** zamknąć
encoger *zob.* **coger** kurczyć
encomendar *zob.* **pensar**
zlecać
encontrar znaleźć, spotkać 31
encubrir *zob.* **cubrir** taić
endentar *zob.* **pensar** zazębiać
enderezar *zob.* **cazar**
wyprostować
endomingarse *zob.* **ahogar**
ubrać się odświętnie
endulzar *zob.* **cazar** słodzić
endurecer czynić twardym 71
enfangar *zob.* **ahogar** zabłocić
enfatizar *zob.* **cazar** podkreślić
enflaquecer *zob.* **conocer**
wyczerpywać
enfocar *zob.* **abdicar** skupiać
enfriar *zob.* **comprar** chłodzić
enfurecer *zob.* **conocer**
rozwścieczać
engañar *zob.* **comprar**
oszukiwać

engrandecer *zob.* **conocer**
powiększać
engreírse *zob.* **reír** pysznić się
engrosar tyć 32
engullir *zob.* **bullir** połykać
enjuagar *zob.* **ahogar** płukać
enjugar *zob.* **ahogar** wyżymać
enlazar *zob.* **cazar** splatać
enloquecer *zob.* **conocer**
oszaleć
enlucir *zob.* **lucir** bielić
enmarcar *zob.* **abdicar** oprawić
w ramy
enmendar *zob.* **pensar**
poprawiać
enmohecer *zob.* **conocer**
pokrywać rdzą, pleśnią
enmudecer *zob.* **conocer**
nakazywać milczenie
ennegrecer *zob.* **conocer**
barwić na czarno
ennoblecer *zob.* **conocer**
uszlachetniać
enorgullecer *zob.* **conocer**
napawać dumą
enrabiar *zob.* **comprar**
rozwścieczać
enraizar zakorzeniać 32
enranciarse *zob.* **lavarse**
jełczeć
enrarecerse *zob.* **conocer**
przerzedzać się
enredar(se) *zob.* **comprar** łowić
siecią, wplątać (się)
enriquecer *zob.* **conocer**
wzbogacać się
enrojecer *zob.* **conocer**
zaczerwienić
enronquecer *zob.* **conocer**
ochrypnąć
ensacar *zob.* **sacar** wsadzać
do worka
ensangrentar *zob.* **pensar**
zakrwawić
ensayar *zob.* **comprar**
próbować
enseñar *zob.* **comprar** uczyć
ensoberbecer *zob.* **conocer**
wbijać w pychę
ensombrecer *zob.* **conocer**
zaciemnić
ensordecer *zob.* **conocer**
ogłuszyć
ensuciar *zob.* **comprar**
zabrudzić
entapizar *zob.* **cazar** wyścielać
dywanami
entender *zob.* **pensar** rozumieć,
słyszeć
enterar powiadamiać 33

entenebrecer(se) *zob.* **conocer**
pokrywać się ciemnościami
enternecer *zob.* **conocer**
zmiękczać
enterrar pochować 33
entontecer *zob.* **conocer**
ogłupiać
entorpecer *zob.* **conocer**
obezwładniać; czynić
drętwym
entrar *zob.* **comprar** wchodzić
entreabrir *zob.* **abrir** uchylać
(drzwi)
entregar *zob.* **ahogar** wręczyć
entregarse *zob.* **ahogar**
poddawać się, oddawać się
(czemuś)
entrelazar(se) *zob.* **cazar**
splatać się
entrenar *zob.* **comprar**
trenować
entresacar *zob.* **sacar**
przebierać
entretener *zob.* **tener** zabawiać
entrever *zob.* **ver** dostrzegać
entristecer *zob.* **conocer**
zasmucać
entroncar *zob.* **abdicar** ustalać
pokrewieństwo
entronizar *zob.* **cazar**
intronizować
entumecer *zob.* **conocer**
paraliżować
enturbiar *zob.* **comprar** mącić
enunciar *zob.* **comprar**
oznajmiać
envanecer *zob.* **conocer** wbijać
w dumę
envejecer *zob.* **conocer**
postarzać
enviar *zob.* **comprar** wysłać
envidiar *zob.* **comprar**
zazdrościć
envilecer(se) *zob.* **conocer**
poniżać
envolver *zob.* **volver** zawijać
enzarzarse *zob.* **cazar** wplątać
się
epilogar *zob.* **ahogar**
streszczać
equivaler *zob.* **valer** równać się
equivocar *zob.* **abdicar** mylić się
erguir wznosić 112
erigir *zob.* **surgir** wznosić
erizar *zob.* **cazar** stroszyć
errar mylić się 34
esbozar *zob.* **cazar** szkicować
escabullir *zob.* **bullir** umknąć
escanciar *zob.* **comprar**
nalewać wino

Alfabetyczna lista najważniejszych czasowników

escandalizar *zob.* cazar
wywołać skandal
escarmentar *zob.* pensar karcić
escarnecer *zob.* conocer
wyszydzać
escenificar *zob.* abdicar
inscenizować
esclarecer *zob.* conocer
rozjaśniać
esclavizar *zob.* cazar zniewalać
escocer *zob.* cocer palić
escoger wybierać 72
escolarizar *zob.* cazar
edukować
esconder *zob.* vender ukrywać
escribir *zob.* recibir pisać
escuchar *zob.* comprar słuchać
escupir *zob.* recibir pluć
escurrir *zob.* recibir wylewać
wszystko
esforzarse *zob.* almorzar
wysilać się
españolizar *zob.* cazar
hispanizować
esparcir rozsiewać 113
especializar *zob.* cazar
specjalizować się
especificar *zob.* abdicar
wyszczególniać
esperar *zob.* comprar mieć
nadzieję, czekać
espiar *zob.* comprar
szpiegować
espiritualizar *zob.* cazar
uduchawiać
espulgar *zob.* ahogar
odwszawiać
esquematizar *zob.* cazar
schematyzować
esquiar *zob.* comprar jeździć
na nartach
establecer *zob.* conocer
założyć, ustanawiać
establecerse *zob.* conocer
osiedlić się
estancar *zob.* abdicar
hamować
estandardizar *zob.* cazar
standaryzować
estar być 7
estatalizar *zob.* cazar
upaństwowić
estatuir *zob.* huir ustanawiać
esterilizar *zob.* cazar
sterylizować
estigmatizar *zob.* cazar
stygmatyzować
estomagar *zob.* ahogar
powodować niestrawność
estornudar *zob.* comprar kichać

estragar *zob.* ahogar niszczyć
estratificar *zob.* abdicar
nawarstwiać
estrechar *zob.* comprar zwężać;
zaciskać
estregar *zob.* fregar pocierać
estremecer *zob.* conocer
przejąć dreszczem
estrenar *zob.* comprar włożyć
na siebie po raz pierwszy
estreñir *zob.* reñir mieć
zaparcie
estropear *zob.* comprar psuć
estudiar *zob.* comprar uczyć się
eternizar *zob.* cazar
uwieczniać
europeizar *zob.* cazar
europeizować
evadir *zob.* recibir unikać
evaluar szacować 34
evangelizar *zob.* cazar
ewangelizować
evocar *zob.* abdicar wywoływać
exagerar *zob.* comprar
przesadzać
exceder *zob.* vender
przekraczać
exceptuar(se) *zob.* efectuar
robić wyjątek
excluir *zob.* huir wyłączać
excomulgar *zob.* ahogar
ekskomunikować
exhibir *zob.* recibir pokazywać
exigir *zob.* surgir wymagać
existir *zob.* recibir istnieć
exorcizar *zob.* cazar odprawiać
egzorcyzmy
expatriar *zob.* comprar
wypędzać z ojczyzny
expedir *zob.* vestir wysyłać
expiar odpokutować 35
explicar *zob.* abdicar wyjaśniać
explorar *zob.* comprar badać
explotar *zob.* comprar
eksploatować
exponer *zob.* poner wystawiać
exportar *zob.* comprar
eksportować
expresar(se) *zob.* comprar
wyrażać się
exprimir *zob.* recibir wyciskać
expropiar *zob.* comprar
wywłaszczać
expulsar *zob.* comprar
wyganiać, wyrzucać
expurgar *zob.* ahogar
oczyszczać
extasiar *zob.* comprar wpadać
w zachwyt
extender *zob.* perder rozciągać

extenuar *zob.* acentuar
wycieńczać
exteriorizar *zob.* cazar
uzewnętrzniać
extinguir *zob.* distinguir gasić;
niszczyć
extraer *zob.* traer wydobywać
extraviar *zob.* comprar zgubić

F

fabricar *zob.* abdicar
fabrykować
falsear *zob.* comprar podrabiać
falsificar *zob.* abdicar
fałszować
fallecer *zob.* conocer umierać
familiarizar *zob.* cazar
zaznajomić
fastidiar *zob.* comprar
wzbudzać wstręt, dokuczać
fatigar *zob.* ahogar męczyć
favorecer *zob.* conocer
wspierać
fenecer *zob.* conocer kończyć
(tylko 3. os. lp. i lm.)
felicitar *zob.* comprar
gratulować
fertilizar *zob.* cazar użyźniać
fiar *zob.* comprar ufać
figurar *zob.* comprar udawać
fijar *zob.* comprar zwracać
uwagę, zamocować
finalizar *zob.* cazar finalizować
fingir *zob.* surgir udawać
fiscalizar *zob.* cazar oskarżać
fisgar *zob.* ahogar wypytywać
flexibilizar *zob.* cazar
uelastyczniać
florecer *zob.* conocer kwitnąć
fluctuar *zob.* actuar oscylować
fluir cieknąć (tylko 3. os. lp.
i lm.) 135
formar *zob.* comprar
kształtować
formalizar *zob.* cazar
formalizować
fortalecer *zob.* conocer
wzmacniać
fortificar *zob.* abdicar
wzmacniać
forzar zmuszać 35
fosforecer *zob.* conocer
fosforyzować
fosilizarse *zob.* cazar kamienieć
fotocopiar *zob.* comprar
kserować
fotografiar *zob.* comprar
fotografować
fraguar kuć 36

Alfabetyczna lista najważniejszych czasowników

fraternizar *zob.* **cazar** bratać
fregar zmywać 36
freír smażyć 113
frivolizar *zob.* **cazar** czynić
frywolnym
fructificar *zob.* **abdicar**
owocować
fruncir *zob.* **zurcir** marszczyć
czoło
fugarse *zob.* **ahogar** uciekać
fumigar *zob.* **ahogar** dymić
funcionar *zob.* **comprar**
funkcjonować
fundir *zob.* **recibir** stapiać
fustigar *zob.* **ahogar** chłostać

G

galvanizar *zob.* **cazar**
galwanizować
garantir *zob.* **recibir**
gwarantować
garantizar *zob.* **cazar**
gwarantować
gargarizar *zob.* **cazar** płukać
gardło
gasificar *zob.* **abdicar** zmieniać
w gaz
gemir jęczeć 114
generalizar *zob.* **cazar**
uogólniać
germanizar *zob.* **cazar**
germanizować
globalizar *zob.* **cazar**
globalizować
gloriarse *zob.* **lavarse** chlubić się
glorificar *zob.* **abdicar**
gloryfikować
gobernar *zob.* **comprar**
rządzić
golpear *zob.* **comprar** uderzać
gozar *zob.* **cazar** sprawiać
przyjemność
graduar *zob.* **actuar** stopniować
granizar (tylko 3. os. lp.) padać
(o gradzie) 135
granjear *zob.* **comprar**
zdobywać majątek
gratificar *zob.* **abdicar**
wynagradzać
gruñir chrząkać 114
guardar *zob.* **comprar** pilnować
guarecer *zob.* **conocer** dawać
schronienie
guarnecer *zob.* **conocer**
ozdabiać
guiar przewodzić 37
guiñar *zob.* **comprar** mrugnąć
gustar *zob.* **comprar** podobać
się

H

haber być, znajdować się,
mieć 8
habituarse *zob.* **lavarse**
przyzwyczajać się
hablar *zob.* **comprar** mówić
hacer robić 72
halagar *zob.* **ahogar** pochlebiać
hallar *zob.* **comprar** znajdować
hastiar *zob.* **comprar** nudzić
hechizar *zob.* **cazar**
oczarować
heder (tylko 3. os. lp. i lm.)
zob. **perder** cuchnąć
helar (tylko 3. os. lp.) marznąć
136
henchir napełniać 115
hendir łupać 115
heñir *zob.* **pedir** ugniatać
ciasto
heredar *zob.* **comprar**
dziedziczyć
herir *zob.* **sentir** kaleczyć
herrar *zob.* **comprar** podkuwać
konia
hervir wrzeć 116
higienizar *zob.* **cazar**
dezynfekować
hincar(se) *zob.* **abdicar**
wtykać
hipnotizar *zob.* **cazar**
hipnotyzować
hipotecar *zob.* **abdicar**
obciążać hipoteką
hispanizar *zob.* **cazar**
hispanizować
holgar próżnować 37
hollar *zob.* **comprar** deptać
homogeneizar *zob.* **cazar**
homogenizować
honrar *zob.* **comprar** szanować
horrorizar(se) *zob.* **cazar**
przerażać się
hospedar *zob.* **comprar**
gościć
hospitalizar *zob.* **cazar**
hospitalizować
hostigar *zob.* **ahogar** biczować
huir uciekać 116
humanizar *zob.* **cazar**
humanizować
humedecer *zob.* **conocer**
zwilżać
humillar *zob.* **comprar**
upokarzać
humidificar *zob.* **abdicar**
zwilżać
hundir *zob.* **recibir** tonąć
hurgar *zob.* **ahogar** grzebać

I

idealizar *zob.* **cazar** idealizować
identificar *zob.* **abdicar**
identyfikować
idiotizar *zob.* **cazar** oszałamiać
ignorar *zob.* **comprar**
ignorować
imbuir *zob.* **huir** wpajać
impedir *zob.* **pedir**
uniemożliwiać
impeler *zob.* **vender** popychać
impermeabilizar *zob.* **cazar**
impregnować
impersonalizar *zob.* **cazar**
używać bezosobowo
implicar *zob.* **abdicar** uwikłać
imponer *zob.* **poner** narzucać
importar *zob.* **comprar**
importować
imprecar *zob.* **abdicar**
przeklinać
imprimir *zob.* **recibir** drukować
incendiar *zob.* **comprar**
podpalać
incensar *zob.* **comprar** okadzać
incluir włączać 117
inculcar *zob.* **abdicar** wpajać
incurrir *zob.* **abdicar** narażać się
indagar *zob.* **ahogar** wypytywać
indemnizar *zob.* **cazar**
zrekompensować
independizarse *zob.* **cazar**
uniezależnić się
indicar *zob.* **abdicar**
wskazywać
indisponer *zob.* **poner**
uniemożliwiać
individualizar *zob.* **cazar**
indywidualizować
inducir *zob.* **conducir** nakłaniać
industrializar *zob.* **cazar**
uprzemysławiać
inferir *zob.* **sentir** wnioskować
infligir *zob.* **recibir** nakładać
karę
influir *zob.* **incluir** wpływać
informar *zob.* **comprar**
informować
informatizar *zob.* **cazar**
informatyzować
infringir *zob.* **surgir** naruszać
infundir *zob.* **recibir** napawać
lękiem
ingerir *zob.* **sentir** trawić
iniciar *zob.* **comprar**
rozpoczynać
injuriar *zob.* **comprar** lżyć
inmiscuirse *zob.* **huir** wtrącać
się

153

Alfabetyczna lista najważniejszych czasowników

inmortalizar *zob.* **cazar**
uwieczniać
inmovilizar *zob.* **cazar**
unieruchamiać
inmunizar *zob.* **cazar**
uodparniać
inquirir *zob.* **adquirir** wypytywać
inscribir *zob.* **recibir** wpisywać
insinuar *zob.* **acentuar**
insynuować
insonorizar *zob.* **cazar**
ubezdźwięczniać
insistir *zob.* **recibir** nalegać
instigar *zob.* **ahogar** podjudzać
institucionalizar *zob.* **cazar**
instytucjonalizować
instituir *zob.* **huir** ustanawiać
instruir *zob.* **huir** nauczać
instrumentalizar *zob.* **cazar**
traktować instrumentalnie
intensificar *zob.* **abdicar**
intensyfikować
intentar *zob.* **comprar**
próbować
interesar *zob.* **comprar**
interesować
interferir *zob.* **sentir** zakłócać
internacionalizar *zob.* **cazar**
umiędzynarodowić
interponer *zob.* **poner** wstawiać
między coś
interrogar *zob.* **ahogar**
przesłuchiwać
interrumpir *zob.* **recibir**
przerywać
intervenir *zob.* **venir**
interweniować
intoxicar *zob.* **abdicar** zatruwać
intranquilizar *zob.* **cazar**
niepokoić
intrigar *zob.* **ahogar** intrygować
introducir *zob.* **conducir**
wprowadzać
intuir *zob.* **huir** przeczuwać
inutilizar *zob.* **cazar** czynić
nieużytecznym
invadir *zob.* **recibir** dokonywać
inwazji
inventar *zob.* **comprar**
wynajdywać
inventariar *zob.* **comprar**
inwentaryzować
invernar *zob.* **comprar** zimować
invertir inwestować 117
investigar *zob.* **ahogar**
prowadzić śledztwo
investir *zob.* **sentir** nadawać
urząd
invocar *zob.* **abdicar** wzywać
ir iść 118

ironizar *zob.* **cazar** ironizować
irrigar *zob.* **ahogar** irygować
islamizar *zob.* **cazar**
islamizować
izar *zob.* **cazar** podnosić flagę

J

jalbegar *zob.* **ahogar** bielić
wapnem
jerarquizar *zob.* **cazar**
hierarchizować
jeringar *zob.* **ahogar**
wstrzykiwać
judaizar *zob.* **cazar** judaizować
jugar grać 38
justificar *zob.* **abdicar**
usprawiedliwiać
juzgar *zob.* **cazar** sądzić

L

lamentar *zob.* **comprar**
lamentować
languidecer *zob.* **conocer**
więdnąć
lanzar *zob.* **cazar** rzucać
largar *zob.* **ahogar** uwalniać
lazar *zob.* **cazar** chwytać
na lasso
leer czytać 73
legalizar *zob.* **cazar** legalizować
levantar *zob.* **comprar**
podnieść
liar wiązać 38
lidiar *zob.* **comprar** walczyć
ligar *zob.* **ahogar** wiązać
limpiar *zob.* **comprar** czyścić
llegar *zob.* **ahogar** przybyć
llenar *zob.* **comprar** napełniać
llevar *zob.* **comprar** przynosić
llorar *zob.* **comprar** płakać
llover (tylko 3. os. lp.) padać
(o deszczu) 136
localizar *zob.* **cazar** lokalizować
lograr *zob.* **ahogar** zyskać
lubrificar *zob.* **abdicar**
smarować
lucir świecić 118

M

macizar *zob.* **cazar** szczelnie
wypełniać
machacar *zob.* **abdicar**
rozdrabniać
machucar *zob.* **abdicar** stłuc
madrugar *zob.* **ahogar** wstawać
rano

maldecir *zob.* **decir** przeklinać
maliciar *zob.* **comprar**
podejrzewać
malquerer *zob.* **querer** nie lubić
mancar *zob.* **abdicar** brakować
mandar *zob.* **comprar** wysłać,
rozkazać
manifestar *zob.* **pensar**
przejawiać
mantener utrzymywać 73
maravillar *zob.* **comprar**
podziwiać
marcar *zob.* **abdicar** zaznaczać
marchar *zob.* **comprar** iść
marear *zob.* **comprar**
wywoływać mdłości
mascar *zob.* **abdicar** żuć
masticar *zob.* **abdicar** żuć
matizar *zob.* **cazar** cieniować
kolory
maximizar *zob.* **cazar**
maksymalizować
mecanizar *zob.* **cazar**
mechanizować
mecanografiar *zob.* **comprar**
pisać na maszynie
mecer kołysać 74
mediar *zob.* **comprar** dojść
do połowy
mediatizar *zob.* **cazar**
podporządkowywać sobie
medir mierzyć 119
mejorar *zob.* **comprar**
poprawiać
mencionar *zob.* **comprar**
wspominać
mendigar *zob.* **ahogar** żebrać
menear *zob.* **comprar**
wymachiwać
menguar uszczuplać 39
menospreciar *zob.* **comprar**
lekceważyć
mentar *zob.* **comprar**
wymieniać
mentir kłamać 119
merecer zasługiwać 74
merendar *zob.* **pensar** jeść
podwieczorek
mermar *zob.* **comprar**
zmniejszać
meter *zob.* **vender** kłaść
mezclar *zob.* **cazar** mieszać
mirar *zob.* **comprar** oglądać
mitigar *zob.* **ahogar** łagodzić
modernizar *zob.* **cazar**
modernizować
modificar *zob.* **abdicar**
modyfikować
mojar *zob.* **comprar** zmoczyć
moler *zob.* **doler** mleć

Alfabetyczna lista najważniejszych czasowników

molestar *zob.* **comprar**
dokuczać
monetizar *zob.* **cazar** puszczać
pieniądze w obieg
montar *zob.* **comprar** wsiadać
na konia
morder gryźć 75
mordiscar *zob.* **abdicar**
nadgryzać
morir umierać 120
mostrar pokazywać 39
motorizar *zob.* **cazar**
motoryzować
mover (po)ruszać 75
movilizar *zob.* **cazar**
mobilizować
multiplicar *zob.* **abdicar**
mnożyć
mullir spulchniać 120

N

nacer rodzić się 76
naturalizar *zob.* **cazar** nadawać
obywatelstwo
naufragar *zob.* **ahogar** rozbić
się (o statku)
navegar *zob.* **ahogar**
nawigować
necesitar *zob.* **comprar**
potrzebować
negar *zob.* **fregar** zaprzeczać
negociar *zob.* **comprar**
negocjować
neutralizar *zob.* **cazar**
neutralizować
nevar (tylko 3. os. lp.) padać
(o śniegu) 136
nombrar *zob.* **comprar**
mianować
notar *zob.* **comprar** zaznaczać
notificar *zob.* **abdicar**
zawiadamiać
nutrir *zob.* **recibir** żywić

O

obedecer *zob.* **conocer** być
posłusznym
obligar *zob.* **pagar**
zobowiązywać
obscurecer *zob.* **też oscurecer**
zaciemniać
obsequiar *zob.* **comprar**
obdarowywać
observar *zob.* **comprar**
przestrzegać; obserwować
obstruir *zob.* **huir** blokować
drogę
obtener *zob.* **tener** otrzymać

obviar *zob.* **comprar**
zapobiegać czemuś
ocurrir *zob.* **recibir** zdarzać się
odiar *zob.* **comprar** nienawidzić
ofender *zob.* **vender** obrażać
oficiar *zob.* **comprar** odprawiać
nabożeństwo
ofrecer *zob.* **conocer** ofiarować
oír słyszeć 121
oler pachnieć 76
olvidar *zob.* **comprar**
zapominać
omitir *zob.* **recibir** opuszczać
operar *zob.* **comprar** operować
oponer *zob.* **poner**
przeciwstawiać
oprimir *zob.* **recibir** uciskać
optar *zob.* **comprar** wybierać
ordenar *zob.* **comprar**
porządkować
organizar *zob.* **cazar**
organizować
orlar *zob.* **comprar** obrębiać
ornamentar *zob.* **comprar**
ozdabiać
oscurecer *zob.* **obscurecer**
otorgar *zob.* **ahogar** wręczać

P

pacer *zob.* **conocer** paść
(o bydle)
pacificar *zob.* **abdicar**
przywracać spokój
padecer *zob.* **conocer** cierpieć
pagar płacić 40
palidecer *zob.* **conocer** blednąć
paralizar *zob.* **cazar**
paraliżować
parecer wydawać się 77
parir *zob.* **recibir** rodzić
parodiar *zob.* **comprar**
parodiować
particularizar *zob.* **cazar**
szczegółowo opisywać
partir *zob.* **recibir** wyjeżdżać;
dzielić
pasar *zob.* **comprar** mijać
pasear *zob.* **comprar**
spacerować
pasteurizar *zob.* **cazar**
pasteryzować
patentar *zob.* **comprar**
opatentować
patentizar *zob.* **cazar** ujawniać
pecar *zob.* **abdicar** grzeszyć
pedir prosić 121
pegar *zob.* **ahogar** bić, kleić
peinar *zob.* **comprar** czesać
pelar *zob.* **comprar** obcinać

pellizcar *zob.* **abdicar** szczypać
penalizar *zob.* **cazar** karać
pensar myśleć 40
percibir *zob.* **recibir** dostrzegać
percutir *zob.* **recibir** uderzać
perder gubić 77
perdonar *zob.* **comprar**
wybaczać
perecer *zob.* **conocer** ginąć
perjudicar *zob.* **abdicar** czynić
szkodę
permanecer *zob.* **conocer**
pozostawać
permitir *zob.* **recibir** pozwalać
perpetuar *zob.* **acentuar**
uwieczniać
perseguir *zob.* **seguir**
prześladować
persistir *zob.* **recibir** obstawać
personalizar *zob.* **cazar**
personalizować
personificar *zob.* **cazar**
uosabiać
persuadir *zob.* **recibir** namawiać
pertenecer *zob.* **conocer**
należeć
pervertir *zob.* **sentir**
deprawować
pesar *zob.* **comprar** ważyć
pescar *zob.* **abdicar** łowić ryby
pestañear *zob.* **comprar**
mrugać
petrificar *zob.* **abdicar**
petryfikować
picar *zob.* **abdicar** kłuć
pintar *zob.* **comprar** malować
placer podobać się 78
plagar *zob.* **ahogar** nawiedzać
planchar *zob.* **comprar**
prasować
planear *zob.* **comprar** planować
plañir płakać 122
planificar *zob.* **abdicar**
planować
plastificar *zob.* **abdicar**
laminować
platicar *zob.* **abdicar**
rozmawiać (*Am. Łac.*)
plegar składać 41
pluralizar *zob.* **cazar**
pluralizować
poblar zaludniać 41
poder móc 78
podrir *zob.* **pudrir**
polarizar *zob.* **cazar**
polaryzować
polemizar *zob.* **cazar**
polemizować
politizar *zob.* **cazar**
upolityczniać

Alfabetyczna lista najważniejszych czasowników

poner kłaść 79
pontificar *zob.* **abdicar**
  odprawiać mszę pontyfikalną
popularizar *zob.* **cazar**
  popularyzować
porfiar *zob.* **comprar** sprzeczać
  się
pormenorizar *zob.* **cazar**
  wyszczególniać
poseer posiadać 79
posponer *zob.* **poner** odwlekać
postergar *zob.* **pagar** odwlekać
potabilizar *zob.* **cazar** czynić
  wodę zdatną do picia
practicar *zob.* **abdicar**
  praktykować
precaver *zob.* **vender**
  zapobiegać
preceder *zob.* **vender**
  poprzedzać
precipitar *zob.* **comprar** strącać
preconizar *zob.* **cazar** chwalić
predecir przepowiadać 122
predicar *zob.* **abdicar** ogłaszać
predisponer *zob.* **poner**
  przysposabiać
preferir woleć 123
preguntar *zob.* **comprar** pytać
prejuzgar *zob.* **pagar**
  przesądzać
premiar *zob.* **comprar**
  premiować
prender *zob.* **vender** brać
preparar *zob.* **comprar**
  przygotowywać
prescribir *zob.* **recibir** zalecać
presenciar *zob.* **comprar** być
  obecnym
presentar *zob.* **comprar**
  przedstawiać
presentir *zob.* **sentir** przeczuwać
presidir *zob.* **recibir**
  przewodniczyć
prestar *zob.* **comprar** pożyczać
presumir *zob.* **recibir**
  przypuszczać
presuponer *zob.* **poner**
  przypuszczać
pretender *zob.* **vender** starać
  się
prevalecer *zob.* **conocer**
  przeważać
prevenir *zob.* **venir** zapobiegać
prever *zob.* **ver** przewidywać
principiar *zob.* **comprar**
  zaczynać
pringar *zob.* **ahogar** brudzić
privilegiar *zob.* **comprar**
  uprzywilejować
probar *zob.* **contar** próbować

proceder *zob.* **vender** podążać
prodigar *zob.* **pagar**
  marnotrawić
producir wytwarzać 123
proferir *zob.* **sentir** wypowiadać
profundizar *zob.* **cazar**
  zgłębiać
prohibir zabraniać 124
prolongar *zob.* **ahogar**
  przedłużać
prometer *zob.* **vender**
  obiecywać
promover *zob.* **mover**
  promować
promulgar *zob.* **ahogar**
  ogłaszać
pronosticar *zob.* **abdicar**
  prognozować
pronunciar *zob.* **comprar**
  wymawiać
propagar *zob.* **pagar**
  propagować
propiciar *zob.* **comprar**
  przyczyniać się
proponer proponować 80
prorrogar *zob.* **ahogar**
  przedłużyć
proseguir *zob.* **seguir** ciągnąć
  dalej
prostituirse *zob.* **huir**
  prostytuować się
protagonizar *zob.* **cazar** grać
  główną rolę
proteger *zob.* **vender** chronić
protestar *zob.* **comprar**
  protestować
proveer *zob.* **leer** zaopatrywać
provenir *zob.* **venir** pochodzić
provocar *zob.* **abdicar**
  prowokować
proyectar *zob.* **comprar**
  projektować
(p)sicoanalizar *zob.* **cazar**
  psychoanalizować
publicar *zob.* **abdicar**
  publikować
pudrir(se) *zob.* **recibir** gnić
pulir *zob.* **recibir** czyścić
pulverizar *zob.* **cazar**
  sproszkować
punzar *zob.* **cazar** kłuć
purgar *zob.* **pagar** oczyszczać
purificar *zob.* **abdicar**
  oczyszczać

Q

quebrar zbankrutować, stłuc 42
quedar *zob.* **comprar**
  pozostawać

quejarse *zob.* **lavarse** skarżyć
  się
quemar *zob.* **comprar** palić
querer chcieć 80

R

rabiar *zob.* **comprar** wściekać
  się
radicalizar *zob.* **cazar**
  radykalizować
radicar *zob.* **abdicar**
  zapuszczać korzenie
radiografiar *zob.* **comprar** robić
  zdjęcie rentgenowskie
radiotelegrafiar *zob.* **comprar**
  przesyłać radiotelegrafem
raer skrobać 81
rallar *zob.* **comprar** trzeć
  na tarce
ramificarse *zob.* **abdicar**
  rozgałęziać się
rascar *zob.* **abdicar** drapać
rasgar *zob.* **pagar** drzeć
ratificar *zob.* **abdicar**
  ratyfikować
realizar *zob.* **cazar** realizować
reaparecer *zob.* **conocer**
  pojawić się ponownie
reblandecer *zob.* **conocer**
  zmiękczać
rebuscar *zob.* **abdicar**
  wyszukiwać
recaer *zob.* **caer** upaść
  ponownie
recalentar *zob.* **pensar** odgrzać
recambiar *zob.* **comprar**
  zamieniać ponownie
recargar *zob.* **pagar** ładować
  ponownie
recetar *zob.* **comprar**
  przepisywać (lekarstwo)
recibir przyjmować 91
recluir *zob.* **huir** więzić
recobrar *zob.* **comprar**
  odzyskiwać
recocer *zob.* **cocer** gotować
  ponownie
recomendar *zob.* **pensar**
  rekomendować
recomenzar *zob.* **comenzar**
  rozpoczynać ponownie
reconciliar *zob.* **comprar** godzić
  się
reconocer *zob.* **conocer**
  rozpoznać
reconstituir *zob.* **huir**
  przywracać do dawnego
  stanu

Alfabetyczna lista najważniejszych czasowników

reconstruir *zob.* **huir**
odbudować
recontar *zob.* **contar** opowiadać
ponownie
reconvenir *zob.* **venir**
udowadniać winę
recordar *zob.* **acordar**
przypominać
recorrer *zob.* **vender**
przemierzać
recostar *zob.* **contar** nachylać
recrear *zob.* **comprar** zabawiać
recrecer *zob.* **crecer** nabierać sił
recrudecerse *zob.* **conocer**
wzmagać się
rectificar *zob.* **abdicar**
rektyfikować
recubrir *zob.* **cubrir** pokrywać
ponownie
recurrir *zob.* **recibir** odwoływać
się
rechazar *zob.* **cazar** odrzucać
redimir *zob.* **recibir** odkupić
redistribuir *zob.* **huir**
redystrybuować
reducir zmniejszać 124
reedificar *zob.* **abdicar**
przebudowywać
reeducar *zob.* **abdicar**
reedukować
reelegir *zob.* **elegir** wybierać
ponownie
reemplazar *zob.* **cazar**
zastępować
reenviar *zob.* **comprar** wysyłać
ponownie
reexpedir *zob.* **pedir** wysyłać
ponownie
referir odnosić się do czegoś
125
reflejar *zob.* **comprar** odbijać
reforzar *zob.* **forzar** wzmacniać
refregar *zob.* **fregar** pocierać
refrescar *zob.* **abdicar**
odświeżać
refugiarse *zob.* **pagar** schronić
się
refulgir *zob.* **surgir** błyszczeć
regar podlewać 42
regatear *zob.* **comprar**
targować się
regir rządzić 125
registrar *zob.* **comprar**
rejestrować
regresar *zob.* **comprar** wracać
rehacer *zob.* **hacer** robić
ponownie
rehenchir *zob.* **henchir**
wypychać czymś
reinar *zob.* **comprar** panować

reincidir *zob.* **recibir** ponownie
popełnić błąd
reír(se) śmiać się 126
reivindicar *zob.* **abdicar**
rewindykować
rejuvenecer *zob.* **conocer**
odmłodnieć
relampaguear *zob.* **comprar**
błyskać się
relanzar *zob.* **cazar** odpierać
atak
relegar *zob.* **pagar** wypędzać
relucir *zob.* **lucir** błyszczeć
remar *zob.* **comprar** wiosłować
remediar *zob.* **comprar**
zaradzać
remendar *zob.* **comprar**
cerować
remitir *zob.* **recibir** wysyłać
remojar *zob.* **comprar**
namoczyć
remolcar *zob.* **abdicar** holować
remontarse *zob.* **lavarse** sięgać
(początków)
remorder *zob.* **morder** gryźć
remover *zob.* **mover** poruszyć
remozar *zob.* **cazar** odmładzać
renacer *zob.* **nacer** urodzić się
na nowo
rendir *zob.* **vestir** pokonywać
renegar *zob.* **fregar** negować
renovar *zob.* **acordar** odnawiać
renunciar *zob.* **comprar** zrzec się
reñir kłócić się 126
reorganizar *zob.* **cazar**
reorganizować
repanchigarse *zob.* **pagar**
rozsiadać się
reparar *zob.* **comprar**
naprawiać
repartir *zob.* **recibir** rozdzielać
repatriar *zob.* **comprar**
repatriować
repeler *zob.* **vender** odpychać
repensar *zob.* **pensar** obmyślać
repercutir *zob.* **recibir** mieć
reperkusje
repetir powtarzać 127
repicar *zob.* **abdicar** drobno
kroić
replegar *zob.* **plegar** zginać
kilkakrotnie
replicar *zob.* **abdicar**
replikować
repoblar *zob.* **poblar** ponownie
zaludniać
reponer wymieniać;
odpowiadać 81
reprender *zob.* **vender** ganić
representar *zob.* **comprar**

reprezentować
reprimir *zob.* **recibir**
powstrzymywać
reprobar *zob.* **acordar** ganić
reproducir *zob.* **conducir**
reprodukować
repudiar *zob.* **comprar**
wyrzekać się
requebrar *zob.* **comprar** łamać
na drobne kawałki
requerir *zob.* **sentir** wymagać
resecar *zob.* **abdicar** wysuszać,
wycinać
resentirse *zob.* **sentir** odczuć
reservar *zob.* **comprar**
rezerwować
resfriar studzić 43
residir *zob.* **recibir** rezydować
resistir *zob.* **recibir** opierać się
resollar *zob.* **acordar** odetchnąć
z ulgą
resolver rozwiązywać,
postanawiać 82
resonar *zob.* **acordar** dźwięczeć
respetar *zob.* **comprar**
szanować
resplandecer *zob.* **conocer**
promieniować
restablecer *zob.* **conocer**
przywracać
restituir oddawać 127
restregar *zob.* **fregar** pocierać
restringir *zob.* **surgir**
ograniczać
resumir *zob.* **recibir** streszczać
resurgir *zob.* **surgir** odradzać się
retemblar *zob.* **pensar** drżeć
retener *zob.* **tener** zatrzymywać
reteñir *zob.* **teñir** farbować
na nowo
retocar *zob.* **abdicar**
retuszować
retorcer *zob.* **cocer** wykręcać
retozar *zob.* **cazar** brykać
retraer *zob.* **traer** przynosić
ponownie
retribuir *zob.* **huir**
wynagradzać
retrotraer *zob.* **traer**
przywoływać
reunir zbierać 128
revalorizar *zob.* **cazar**
rewaloryzować
revaluar *zob.* **acentuar**
ponownie oceniać
reventar *zob.* **pensar** pękać
rever *zob.* **ver** przejrzeć
ponownie
reverdecer *zob.* **conocer**
zazieleniać ponownie

157

Alfabetyczna lista najważniejszych czasowników

revestir zob. **vestir** wkładać ponownie
revitalizar zob. **cazar** rewitalizować
revocar zob. **abdicar** odwoływać
revolcar zob. **trocar** obalać
revolucionar zob. **comprar** rewolucjonizować
revolver zob. **volver** obracać
rezagarse zob. **pagar** pozostawać w tyle
rezar zob. **cazar** modlić się
ridiculizar zob. **cazar** ośmieszać
rivalizar zob. **cazar** rywalizować
rizar zob. **cazar** kręcić
robar zob. **comprar** kraść
robustecer zob. **conocer** wzmacniać
rociar zob. **comprar** zraszać
rodar zob. **comprar** kręcić się
rodear zob. **comprar** objeżdżać
roer gryźć 82
rogar błagać 43
romper tłuc 83
roncar zob. **abdicar** chrapać
rozar zob. **cazar** odchwaszczać
ruborizarse zob. **cazar** rumienić się
rubricar zob. **abdicar** parafować
rumorear zob. **comprar** krążyć (o plotce)

S

saber wiedzieć 83
sacar wyjmować 44
sacrificar zob. **abdicar** poświęcać
sacudir zob. **recibir** potrząsać
salir wychodzić 128
salpicar zob. **abdicar** pryskać
santiguar zob. **pagar** przeżegnać się
satirizar zob. **cazar** wyszydzać
satisfacer zadowalać 84
secar suszyć 44
secularizar zob. **cazar** sekularyzować
seducir zob. **conducir** uwodzić
segar kosić 45
segregar segregować 45
seguir podążać 129
sellar zob. **comprar** pieczętować
sembrar zob. **comprar** siać
semejar zob. **comprar** być podobnym

sentar sadzać 46
sentenciar zob. **comprar** wyrokować
señalizar zob. **cazar** stawiać znaki
sensibilizar zob. **cazar** uczulać
sentir czuć 129
señalar zob. **comprar** wskazywać
separar zob. **comprar** oddzielać
ser być 6
serrar piłować 46
servir służyć 130
significar zob. **abdicar** oznaczać
simbolizar zob. **cazar** symbolizować
simpatizar zob. **cazar** sympatyzować
simplificar zob. **abdicar** upraszczać
sincronizar zob. **cazar** synchronizować
sindicarse zob. **abdicar** wstępować do związku zawodowego
singularizar zob. **cazar** wyróżniać
sintetizar zob. **cazar** syntetyzować
sintonizar zob. **cazar** dostrajać
sistematizar zob. **cazar** systematyzować
situar sytuować 47
sobrar zob. **comprar** zbywać
sobrecargar zob. **pagar** przeładowywać
sobrecoger zob. **coger** zaskoczyć
sobr(e)entender zob. **pensar** dawać do zrozumienia
sobreponer zob. **poner** kłaść coś na coś
sobresalir zob. **salir** wystawać
sobreseer zob. **leer** zaniechać
sobrevenir zob. **venir** zdarzać się nagle
sobrevolar zob. **colar** przelatywać nad czymś
socializar zob. **comprar** uspołeczniać
socorrer zob. **vender** pomagać
sofisticar zob. **abdicar** wymądrzać się
sofocar zob. **abdicar** dusić
sofreír zob. **reír(se)** opiekać
solar zob. **comprar** zelować
solazarse zob. **cazar** bawić się
soldar zob. **comprar** lutować
solemnizar zob. **cazar** obchodzić uroczyście

soler mieć w zwyczaju 84
solidarizarse zob. **cazar** solidaryzować się
solidificar zob. **abdicar** zamieniać w stan stały
sollozar zob. **cazar** szlochać
soltar puścić 47
someter zob. **vender** uzależniać od siebie
sonar brzmieć 48
sonorizar zob. **cazar** udźwięczniać
sonreír zob. **reír(se)** uśmiechać się
sonsacar zob. **abdicar** wyłudzić
soñar śnić 48
sorber zob. **vender** popijać
sorprender zob. **vender** zaskoczyć
sosegar zob. **cegar** uspokajać
sospechar zob. **comprar** podejrzewać
sostener zob. **tener** podtrzymywać
soterrar zob. **pensar** zakopywać
suavizar zob. **cazar** zmiękczać
subarrendar zob. **pensar** podnajmować
subir zob. **recibir** wspinać się
sublevar zob. **comprar** buntować
subsistir zob. **recibir** istnieć
subvertir zob. **sentir** obalać
subyugar zob. **pagar** ujarzmiać
suceder zob. **vender** następować po
sucumbir zob. **recibir** ulegać
sufrir zob. **recibir** cierpieć
sugerir sugerować 130
sumergir zob. **surgir** zanurzać
suplicar zob. **abdicar** błagać
suponer zob. **poner** przypuszczać
suprimir zob. **recibir** znosić
surcar zob. **abdicar** robić bruzdy
surgir pojawiać się 131
surtir zob. **recibir** zaopatrywać
suscribir zob. **recibir** subskrybować
suspender zob. **vender** zawieszać
sustituir zob. **huir** zastępować
sustraer zob. **traer** odejmować

T

tabicar zob. **abdicar** przegradzać
tamizar zob. **cazar** przesiewać

tañer grać (na instrumencie) 85
tapiar *zob.* comprar otaczać
murem
tapizar *zob.* cazar wyściełać
taquigrafiar *zob.* comprar
stenografować
tatuar *zob.* comprar tatuować
teatralizar *zob.* cazar
wystawiać w teatrze
tecnificar *zob.* abdicar
technicyzować
tejer *zob.* vender tkać
teledirigir *zob.* surgir zdalnie
sterować
telefonear *zob.* comprar
telefonować
telegrafiar *zob.* comprar
telegrafować
temblar drżeć 49
temer *zob.* vender bać się
tender *zob.* perder wyciągać
tener mieć 85
tentar *zob.* comprar usiłować
teñir farbować 131
teorizar *zob.* cazar
teoretyzować
terciar *zob.* comprar
pośredniczyć
terminar *zob.* comprar kończyć
testificar *zob.* abdicar
zeznawać
tiranizar *zob.* cazar tyranizować
titularizar *zob.* cazar tytułować
tocar dotykać 49
tomar *zob.* comprar brać
tonificar *zob.* abdicar
wzmacniać organizm
torcer *zob.* cocer skręcać
toser *zob.* vender kaszleć
tostar przypiekać 50
totalizar *zob.* cazar sumować
trabajar *zob.* comprar pracować
traducir *zob.* conducir
tłumaczyć
traer przynosić 86
traficar *zob.* abdicar handlować
tragar *zob.* pagar połykać
trancar *zob.* abdicar ryglować
tranquilizar uspokajać 50
transcender *zob.* trascender
transcribir *zob.* recibir
przepisywać
transcurrir *zob.* recibir mijać

transferir/trasferir
transferować 132
transigir *zob.* surgir ustępować
transmitir *zob.* recibir
przekazywać
transponer *zob.* poner
przenosić
trascender *zob.* perder
pachnieć
trasegar *zob.* fregar przewracać
traslucirse *zob.* lucir być
przezroczystym
trasponerse *zob.* transponer
traumatizar *zob.* cazar
powodować uraz
trastocar *zob.* trocar
przekształcać
travestirse *zob.* vestir
przebierać
trazar *zob.* cazar kreślić
trenzar *zob.* cazar splatać
trincar *zob.* abdicar łapać,
upijać się
triplicar *zob.* abdicar potrajać
trivializar *zob.* cazar
trywializować
trocar zmieniać 51
tronar grzmieć 137
tropezar potknąć się 51
truncar *zob.* abdicar obcinać
tullirse *zob.* recibir
kontuzjować

U

ubicar umieścić 52
uncir *zob.* zurcir zaprzęgać
ungir *zob.* surgir nacierać
unificar jednoczyć 52
unir *zob.* recibir jednoczyć
urgir *zob.* surgir naglić
utilizar używać 53

V

vaciar *zob.* comprar opróżniać
vagar wałęsać się 53
valer mieć wartość 86
valorar *zob.* comprar szacować
valorizar *zob.* cazar szacować
valuar *zob.* acentuar szacować
variar zmieniać 54

vaporizar *zob.* cazar parować
vegetar *zob.* comprar rosnąć
velar *zob.* comprar czuwać
nocą
vencer zwyciężać 87
vender sprzedawać 56
vengar(se) *zob.* pagar
mścić (się)
venir przychodzić 132
ver widzieć 87
verificar *zob.* abdicar
weryfikować
verter wylewać 88
vestir ubierać 133
viabilizar *zob.* cazar udrożnić,
umożliwić
viajar *zob.* comprar
podróżować
vigorizar *zob.* cazar
wzmacniać
visibilizar *zob.* cazar
uwidaczniać
visualizar *zob.* cazar
uwidaczniać
vitrificar *zob.* abdicar zamienić
w szkło
vivir *zob.* recibir żyć
vocalizar *zob.* cazar wokalizować
volar *zob.* acordar latać
volatilizarse *zob.* cazar ulatniać
się
volcar *zob.* trocar przewracać
volver wracać 88
vulcanizar *zob.* cazar
wulkanizować
vulgarizar *zob.* cazar
wulgaryzować

Y

yacer leżeć (w grobie) 89
yuxtaponer *zob.* poner
zestawiać

Z

zaherir upokarzać, ranić 133
zambullir *zob.* bullir
zanurzyć
zurcir cerować 134